奈良県立大学
地域創造研究センター 撤退学研究ユニット

［撤退学研究ユニット］
青木真兵
梅田直美
坂本大祐
作野広和
西尾美也
林尚之
堀田新五郎
松岡慧祐

［寄稿］
伊藤洋志
仲子秀彦
中森一輝
八神実優
「みちのり」参加者のみなさん

山岳新校、ひらきました

山中でこれからを生きる「知」を養う

奈良県立大学
地域創造研究センター 撤退学研究ユニット

はじめに

皆さんこんにちは、奈良から来ました堀田新五郎です。よろしくお願いいたします。

「山岳新校、ひらきました」と言われましても、皆さんここでこのあと何が行われるのか、わかった上でおいでですか？　実は我々も、あまりわかってないところがありまして（笑）。

「山岳新校」ですが、これは、修験道の聖地である「奥大和」に、新たな学校を作ろうという試みです。といっても「奥大和」も、あまり馴染みのない言葉かもしれません。奈良の、有名な東大寺や興福寺のあるところに比べて、ぐーんと南の地域を指します。吉野と言えば桜の名所ですし、南朝があった場所で、皆さんご存知だと思います。その吉野は、奈良の山深いところというようなイメージかもしれませんが、奈良県全体でいったらまだまだ山の入り口で、そこから南には広大な山岳地帯というか、中山間地域というか、そんな場所が広がっています。それを総称して「奥大和」という呼び方をしています。その奥大和に新たな学びの場を作る。これが我々のやろうとすることです。ではなぜ奥大和なのか、なぜ新しい学びの場なのか。

まず、奥大和について。「日本は課題先進国である」ということは、よく言われています。急速な人口減少・超少子高齢化・地方消滅・未曾有の財政赤字・環境激変、こういうことがずっと言われていて、その対応はといえば、トホホなわけですよね。今の20歳ぐらいの学生は、もう生まれた時から「日本の将来は大変だ」と呪いのように聞かされ、基本的に諦めモードになっている。そんな人たちが多いんですが、課題先進国日本の中でも、奥大和はその先進地ではないか。この地域に「○○村」というのは全部で12あるのですが、そのうち8つが全国で人口減少率が高い村トップ30に入っている。すごいですね。

あ、もちろん好ましくない数字ですよ。離島以外では、人口最少の村も奥大和にあります。要は課題先進国日本の中で、その最先端を行くのが奥大和。ここが変われば、日本も世界も変わるんじゃないかと。アルキメデスが「我に支点を与えよ。されば地球も動かさん」という有名なセリフを残しましたが、奥大和はそういう支点とは考えられないか。そこで何か変わった新しい動きが出てくれば、それは大きく世の中を変えることにつながるんじゃないか。そういう、ドンキホーテ的野望を持って取り組んでいます（笑）。それからもう一つ、奥大和が「修験道の聖地」ということも重要です。これについては、後で触れることとしましょう。

では次に、なぜ新しい学びの場なのか。これをお話しする前提として、いま日本が直面する課題の本質を考えてみます。失われた10年は、いつのまにか20年となり、30年となりました。いつまで失われる予定ですかね。平成の30年を振り返ると、例えば企業の時価総額世界ランキング、平成の初めはトップ5を日本が独占、トップ10のうち7社が日本企業でした。これに対し、平成の終わりはどうか。トップ10にはゼロ。日本企業で一番上のトヨタが、世界43位ですね。お見事！って感じの凋落ぶりです。日本がこのように沈んでいった象徴として、地方の疲弊・衰退があるように思います。財政難のなか、もはや「国土の均衡ある発展」を国が担うことはできません。ということで、基礎自治体の約半分が消滅危機、大都市だけに人が住む「極点社会」の到来が危惧される状況です。この20年、住民も行政も大学も地域振興・地方創生を掲げて、汗を流し続けてきました。でも、地方の衰退はとどまる気配がありません。いま必要なのは、さらなる努力、汗だくではないでしょうか！　……たぶん、違います。今後も日本のあちこちで、皆が汗をかき「成功事例」や「画期的な試み」が生まれることでしょう。と同時に、トータルでみれば、地方の衰退は加速し続けるのです。どうしてそうなるのか。それは、問題の立て方が間違っているからだと思います。

これまで問題の所在は、地方にあると考えられてきました。だから、「過疎」「限界集落」「地方消滅」が「問題」として語られてきたわけです。その場合の解決策は、当然、地方への「支援」ということになります。たぶん、これでは根本的な課題解決にはならない。というのも、問題の本質は「場所」にはないからです。それは「力学」の問題なのです。みなさん、「生活習慣病」のことを考えてみてください。心筋梗塞であれ糖尿病であれ、症状は「場所」に現れます。でも、糖尿病による目のかすみに「目薬さしてOK！」と考える人はいませんよね。「場所の痛み」への対症療法は大事ですが、それでは根本治療にはなりません。結果と同時に、原因への対応も必要なわけです。昼食とらずに仕事に没入、たばこスパスパ、ビールガバガバ、野菜少なめ塩分多め、毎日500歩くらい歩きます。「うああ。このままじゃあヤバイ、いつか大変なことになる」と思いつつ、止められない止まらない、この惰性・慣性こそ、生活習慣病の根本原因でしょう。「慣性の力学」に囚われてしまうのです。同じことが日本全体に言えるのではないか。社会レベルから個人レベルまで、日本は「巨大な生活習慣病」を患っているのです。

この20年、誰もが「東京一極集中」の弊害を唱えました。コロナでつかの間東京からの転出人口が転入を上まわり、おお！このまま続くか？　と思ったものの、1年で元に戻りましたよね。あっぱれなくらいの「慣性の力学」です。同じことは、雪だるま式に増える財政赤字や、ウナギ下がりの出生数にも、温暖化対策にも（あ、これは世界全体の問題ですが）言えるのではないか。プライマリー・バランス黒字化も、希望出生率実現も、CO^2削減も、本当に目標年に達成可能と考えている人は誰もいない。にもかかわらず、代りばえしない対策がだらだら続き、時は惰性に流れゆく。で、目標年が近づくと、ポーンと次の目標年が示され、似たような処方箋、似たようなロードマップがメディアを賑わすこととなる。この繰り返し。毎週禁煙宣言するおっちゃんみたい。さすがにそろそろ考えませんか。このままでは、いつか本当にヤバイことになる。この危機意識から、私たちは奈良県立大学地域創造研究センターに「撤退学研究ユニット」を立ち上げました。合理的判断としては、これまでの「生のスタイル」から撤退すべきにもかかわらず、それを阻む「慣性の力学」を解明し、そこからの脱却可能性を探るのです。撤退は敗北ではなく、「知性の証し」ではないでしょうか。カタストロフィー前の方向転換、これを私たちは、マクロ（社会全体）とミクロ（個人）の双方で探究します。後者に力点をおいた具体的実践の場、それが「山岳新校」になるわけです。

さてさて、ということで、日本の課題の本質をみてきました。それは巨大な生活習慣病で、そこには「慣性の力学」が働いているのではないか。個々人のレベルで考えてみましょう。当たり前ですが、大事なのは、取り替えの効かない「この私」の人生です。けれども、多くの人はなんとなく「ヒトの人生」を生きている、みたいなことはありませんか。例えば、「まあ大学って行くものだよね」とか、「成績このくらいだからこの大学かな」とか、「やっぱ就職は大企業だよね」とか、社会の当たり前というか一般通念というか、それに乗っかって生きている。だから、進学と就職で東京圏への巨大な引力が働き、一極集中がとまらないわけです。誰もがなんとなく「ヒトの人生」を生きている、もちろんそれが「この私」の幸せにつながるのかどうか、それは不確かで、それもまたみんなわかっている。だけど、「わかっちゃいるけど、止められない止まらない」、これが慣性の力学だと思うんです。では、どうすればよいのか？いま必要なのは、適合能力ではなくてその逆、「ハズレる力」ではないでしょうか。社会の当たり前やこれまでの価値観からハズレ、慣性の力学から脱落してしまう、そんなハズレモノの力ではないでしょうか。それを養うのが、「新しい学びの場」だと思っています。

明治以来近代日本は、国家主導で学校教育を推進してきました。そこでの眼目は、「国に必要とされる能力」「社会に適合する能力」、その育成だったと思います。近代というのは、たぶん「加速」がその特徴で、スピードがどんどん速まっていく。江戸時代、京都までの旅は2週間かかりました。いまは2時間です。24時間WEBに接続され、光速で情報をやりとりする。日々アップデートに急き立てられ、社会適合すべくリスキリングが求められるわけです。人によっては、映画を倍速で観てますしね。でもそれは、適合のための情報収集であり、登場人物とともにドラマを生きることではない。生きるとは、いまを生きることです。だから、時間に急き立てられる生、つまり「現在」が「未来」の手段になってしまう生は、どこかゆがんでいる気がいたします。

じゃあ、そうしたゆがみをただし、「この私のいまここ」を充実させるために、私たちはどこでなにを学んだらよいのか。正規の学校ではなさそうです。学校は、適合能力を育成する場みたいですから。また、大学院での学問も違うでしょう。近代の学は、ある領域を限定して（政治・経済・心理・人体・地質・宇宙etc.）、その領域における現象を分析・解明し、その対象を制御しようというものです。例えば、マーケットの状況を分析し、インフレの制御を図る経済学とか、核分裂の仕組みを分析し、巨大なエネルギー抽出を図る物理学とか、そうしたものです。知は力なり。対象をコントロールする力なり。これが近代の「分析的知性」だと思います。基本的にマッチョなんですね。目の前に壁や課題があると、それを細かく分析し、解決策を見つけて乗り越えていく。近代を突き動かす理念は、そうした「主体的課題解決」「克服の運動」でしょう。一見素晴らしく見えますけどね。いまではこれが、禍となっているのではないか。というのも、「慣性の力学」を強化するからです。例えば、砂漠化や食料難という課題がある。これまでの「生のスタイル」を続けるとヤバイから、市場拡大による持続不可能な土地利用から撤退しましょう、とは全然なりません。どうするか。「テクノロジーの加速」で課題克服を図るわけです。砂漠でも育つ植物をバイオで開発、フードテックで人工食糧大増産、こんな風に「乗り越えの運動」が続いていくわけです。いやはや、いやはや、いやはや。どっちが勝つのでしょうね？　地球が悲鳴を上げて壊れるのが早いか、テクノロジーの加速が悲鳴をつねに追い越していくのか。あと100年くらい生きて、この競走の結末を見たいものです。

さてさて、いずれにしても近代的学校制度では、ハズレる力は養えそうにありません。だから私たちは逆に、近代の公教育が排除したものに注目しようと思います。それはなにか。おそらくそれは「道」ではないか。仏道・神道・武道・茶道・華道etc.　そういった「道」です。こうした学びでもまた、対象を扱ってはいます。例えば、茶道は茶器を、華道は花を手にするわけです。対象はもちろんありますが、その究極の目的は、茶器の分析や花の制御ではないでしょう（たぶん）。究極的には、**世界と自己との関係性を整えること**、これが求められているのではないでしょうか。「道」の核心は、そこにあります。諸縁を放下し、これまでのわだかまりや執着を捨てて、いまここであなたに、この一杯の茶をふるまう。そのふるまい自体が目的であり、決してなにかの手段となることはありません。だからこそ、達人の風姿は美しいのです。この一期一会において、慣性の力学は脱落している。

結論を申しましょう。私たちは日本の課題の本質を「巨大な生活習慣病」と捉えました。この見立てが正しいとしたら、いま学ぶべきは、長年「道」が紡いできた叡智、身心即応における知性ではないでしょうか。というのも、生活習慣病の根本治療とは、これまでの「生のスタイル」から撤退すること、世界と自己との関係性を整え直すことにあるからです。ということで、修験道の聖地「奥大和」の意味がもう一つ浮上してきます。この地で千年にわたり「道」が鍛えられてきました。日頃都会で暮らす人々の身心にも、どこか「山の精気」「場のアニマ」が感応したりはしないだろうか。そうした期待をこめて、「奥大和」に山岳新校を開校します。皆様、よろしければ是非ご参加ください。

最後に。深山に禅道場を開いた道元の言葉を紹介します。「仏道をならうというは　自己をならうなり　自己をならうというは　自己をわするるなり　自己をわするるというは　万法に証せらるるなり」。なんか凄いですね。意味はよくわかりませんが（笑）。でも、学ぶことの究極が現れているような気がします。以下は、私の解釈です。ちゃんとした解説を知りたい方は、ご自身で調べてみてください。道元（＝堀田）によれば、「仏道を習う＝自分を習う」であり、「自分を習う＝自分を忘れる」であり、「自分を忘れる＝世界との関係がいい感じに整っている」ということになります。考えてみましょう。私たち凡人は、世界の中で、目的達成に向けて日々動いている。例えば、上司の心をつかむとか、内定をつかむ、配当をつかむ、そんな感じです。そういう具体的な対象を狙って日々過ごしているわけです。で、そういう時というのは、実は本当の目的地は「自分」なんですね。「私の利益」が、目的地なわけです。逆に、世界と自己との整った関係を目指して動くと、具体的な目的・対象が消えていきます。逆説的ですが、「対象のゲット」ではなく、つねに自分の身心を整えようと努める（＝自己をならう）と、「目的地としての自分」が消える（＝自己をわするる）ような気がします。つまり、自己利益がどんどんなくなるんですよね。「上司の機嫌をとろう」とか「ライバルを貶めてやれ」なんて心の動きは、自己を見つめ続けていると、なかなか継続できません。「整える」ということ自体を目的にすると、なんだか自己が消えていく、するとあら不思議、とっても楽しく楽に動けます、そんなことを道元は教えてくれているのではないか。そんな風に思うのです。

ということで皆さん。とにもかくにも、山岳新校、ひらかれました！　ちょいと山に遊びに来ませんか。楽な感じで、ほいほいと。よろしければご一緒に。

目次

1

学びの究極

——鬼を脱落させる術の修得

堀田新五郎

はじめに——野心的試み

この小稿では、学びにおいて枢要にもかかわらず、今の学校教育ではまったく重視されていない点を述べたい。それは「ハズレる力」である。また、ハズレながら考えること、とりわけ「鬼を脱落させる術」を考えることである。人は何のために学ぶのか？　人生の諸事は、つまるところ「楽しく生きる」ことを目的とするのならば、学びもまた、「楽しいから学ぶ」「より楽しい人生へとつながるから学ぶ」ということになるであろう。では、楽しい人生とはどのようなあり方か？　禅語で「日日是好日」という。来る日も来る日も、「好日」である。むろん、様々な出来事が生じうる。天変地異もあれば、病や事故に遭うこともありえよう。にもかかわらず、「日日是好日」であらざるをえない境地、出来事にくらまされることなく「日々、楽しい人生を送ってしまう人」、これが悟りを得た禅者というものか。ならば我々はみな、急ぎ禅を学ぶべきであろう。その悟りのうちに、「楽しい人生」の究極が現れている。

だがしかし、悟りの境地は言葉で伝えることができないという。「不立文字（ふりゅうもんじ）」として知られるこの事態は、ひとり禅に限られたことではあるまい。オスカー・ワイルドがいうように、教育の核心には、「知る価値のあるものは、すべて教えられない」というパラドクスが存在する。微積分も、条件法過去も、支配の正統性3類型も教科書で教えられる。よって、人生の大事ではない。これに対し、「日々楽しく過ごす」「出来事にくらまされない」「日日是好日」は教えられない。我々にはただ、先達の有り様が示されるのみである。人生の一大事は、師の背中から、各人各様に学び取らなければならない。

おそらく、これは正しいのであろう。悟りの境地を、微積分の解法を教えるように、オブジェクトレベルでポジティヴに伝えることはできない。「ほらほら、ここをこうやれば解決です。これが、豁然大悟ですよ」と「正解」を伝授できないのである。だが、ネガティヴにであれば、どうだろうか？　そのときには、教科書のように教えることもできはしないか？　というのも、「悟り」を語ることは不可能であっても、「煩悩」を指摘することは容易だからである。「日日是悪日」「出来事にくらまされている」――その核心は、語りうるし、そこからの脱出路も教えうるのではなかろうか？　本稿では、「楽しく生きる」ことを妨げる原因として、比喩的に「鬼」を用いる。富・権力・名誉・性・愛・憎、それが何であれ、何ものかに妄執した人を「鬼に憑かれし者」と呼ぼう。その日々は修羅であり、楽とはいいがたい。人の学ぶ目的が「楽しい人生」にあるのならば、鬼を作らない術、鬼を落とす術を知ることは、学びの究極ではなかろうか。鬼が生まれるときをはかって、そのつどそのつど落としていく。もし、これが可能ならば、その者の生の内実は、悟りを得た禅者のそれと何ら変わりのないものとなっていよう。道元が「修証一等」とするゆえんである。すなわち、悟りの証とは、日々の具体的な修行の連鎖、鬼に憑かれない有り様の連鎖以外ではない。悟りを微分すれば、瞬間ごとの鬼の脱落である。ならば、悟りへの道は彼方でも不可能でもなかろう。「いま、ここ」の積分だけでよい。鬼を落とす術を修得すること、いつか裏側から悟りを得ていること、これが本稿の野心的な試みである。

適合する力――学校でやること

山岳新校の第1弾、「みちのり」のゲスト講師として、伊藤洋志さんに来ていただいた。伊藤さんと食事をしながら雑談しているとき、今度小学校に入学するお子さんの学校訪問が話題となった。ある小学校では、先生が自慢げにおっしゃったそうである。「うちの生徒たちの机とイスを見てください。みんな乱れなく、真っ直ぐきちんと並んでいます」。これを聞いて伊藤さんは、「ああこの学校だけはよそう」と思ったそうで、それを聞いた私たちも、「です。です。」と応じたものだった。

なぜ学校では、既成の秩序に「適合する力」ばかりが求められるのか？　もちろん、初等教育において、ルールに従って共生すること、自分勝手は許されないことを教えるのは大事である。毎朝早く起きて、ご飯を食べて、8時半には自分の席に着いている。チャイムに従った規律正しいトホホな日々を、日本の子どもたちはみな、少なくとも9年間は義務として課せられている。ああかったるい、嫌だと思いながらも学校に行き続けること、毎年運動会前には整列や行進の練習が延々と続くこと、そうした退屈に耐える力というか、「慣性」「惰性」を身につけさせることが、日本の初等教育の崇高な目的であるらしい。いずれ子どもたちはみな、既成の秩序に「適合する力」をそなえることとなる[*1]。しかしまあ、こういうのは小学校くらいでやめませんか？　というのも、中等教育・高等教育と進むにしたがって、「適合する力」ではなく、「自分で考える力」が学びの核心となるはずだからである。

たぶん、それを否定する人はいない。たとえば多くの大学は、新入生相手にこんなことを語りがちである。「高校までは、与えられた問題に取り組み、決められた『正解』にたどり着く力を磨いてきた。でも、不確実で先の見えないこれからの時代は、それだけでは通用しない。自分で課題を見つけ、探究し、他者とともに解決していく能力が必要だ」。おっしゃるとおりだと思う。ならば、大学は「自分で考える力」を鍛える場になっているのか？　否！　大学こそ、社会に適合すべく汲々としていよう。文科省や認証評価機関が求める教育の質保証にあくせくし、企業が求めるDX・GX・イノベーション人材輩出に追われ、教授達のありようも実務家やら招聘やら卓越やら特任やら特定拠点やらよく分からず、学部学科に加えて学群・学域・学類・学系などがにょろにょろ発生する奇怪な態である。滅びる直前、巨大化したアンモナイトみたい。おそらく、最後のあがきなのだろう。18歳人口が激減し社会が大転換するなかで、多くの大学はアイデンティティを見失い、社会適合が最優先の目的となっていく。その結果、社会から淘汰されるのではないか。

重要度と緊急度の2つの軸で考えてみよう。滅び行く組織というのは、「重要度は高いが緊急度は低い仕事（大学でいえば、じっくりとやる研究や教育）」の時間がどんどん失われ、「重要度は低いが緊急度は高い仕事（文科省へのアンケート回答、年次計画・認証評価等の書類作成）」にどんどん時間が割かれることとなる。空洞化する組織の典型的なプロセスといえよう。問題は、こうした弊害について20年以上も論じられながら、しかし一向に改まる気配がない点にある。分かっちゃいるけど、止められない止まらない。大学は、慣性・惰性に囚われているのである。今後も、社会適合の流れを加速させるばかりではあるまいか。

ということで、原点に戻る。「適合する力」は十分ゆえ、「ハズレる力」を養おう。流れからハズレ「自分で考える力」を、自分で鍛えるのである。以下は、私なりの作法である。参考になれば幸い。

ハズレる力――自分で考えること

「考える」とはどういうことか。ともすれば我々は、目の前にある問いや課題を検討することだと思いがちである。たとえば、詰め将棋を考え、週末どう過ごすかを考え、新商品のマーケット戦略を考える、これが「考えること」だと、そう思うのである。むろん、間違いではない。だたその場合、問いを成り立たせている「地平」（将棋というゲーム、時間の自由、資本主義）ついては、考える対象にはなっていない。それらは、問いが存在するための基盤でありフレームであり、そこについては普通、改めて問われることはない。考える対象は、あくまで個々の詰将棋であり、遊びの選択肢であり、キャンペーン方法なのである。

だがもし、「考えること」がこうした次元に尽きるのであれば、「自分で考える」ことは、ほぼほぼ成立しないこととなるのではないか。これを説明するために、オブジェクトレベルでの思考とメタレベルでの思考を、対比的に提示する。前者は、上記のような次元、つまり目の前の問いを検討することであり、これに対し後者は、問いを成り立たせている「地平」それ自体を問い直すことである。例を示そう。「2×2は何ですか？」この問いを、おませな5歳児に投げかけてみる。すると、元気な答えが返ってくるだろう。「4！」。では、この同じ問いを、最終面接の就活生に投げかけたらどうか？役員の一人がおもむろに口を開く。「では、次の質問です。あなたの考えを聞かせてください。2×2は何ですか？」「え？　いま、なんて？　2×2？新たな圧迫面接か？　これでオレのなにをみるん？　想定外への対応か？なにが正解？」この間、0.75秒で思考をめぐらせ、元気よく「4！」。

この二つのケースにおいて、問いと答えに違いはない。しかし、思考のプロセスがまるで違うことは明白であろう。5歳児は「2×2は何ですか？」という問いに、ただオブジェクトレベルで向き合っており、対して就活生は、メタレベルへと移行している。すなわち、この問いが成立する地平そのものを問い直し、問いと自分とが、同一の次元に存在しているのかどうか不安のうちに探っているのである。「自分で考える」というのは、この「不安」と不可分ではなかろうか。オブジェクトレベルの思考には、こうした不安はない。というのもその場合、「この私が考える」のではなく、私のなかで「一般的なヒト」「任意の第三者」が考えているからである。算数や詰将棋において、それは明らかであろう。加減乗除やルールを知る者が、それに従って解を導き出す。思考プロセスは純粋な論理進行にほかならず、そこに「この私」が関与し、不安が生じる余地はない。

では、週末の過ごし方やマーケット戦略の場合はどうか。その場合も、問いを考える者には、思考法・参考資料・成功事例・最適解について、そのイメージがあらかじめ与えられていよう。オブジェクトレベルで考え、メタレベルを思考しない者は、その問いの関係者たちと地平を共有する安心のうちにある。よって、遊びの選択肢であれキャンペーン方法であれ、時間とコストと最新情報をかけ合わせ、関係者が共有する最適解へとアジャストさせればよい。であれば、考えているのは「この私」ではなく、「関係者たち」というべきではなかろうか。もちろんその場合でも、自分の提示するプランに対し、恋人や上司が同意するかどうか、実際面での不安はありえよう。算数のテストができるかどうか、不安を覚えるのと同様である。だが、問いの地平（加減乗除・時間の自由・資本主義）が揺るがない限り、思考プロセスそのものに不安が生じることはない。キャンペーン・プランの修正を求められれば、情報のアップデートで対応し、時間とコストの再計算でリファインする。こうした修正がどこまで続こうと、求められるのはアジャストメントであり、「この私の考え」ではない。大切なのは思考力というより、適合能力なのである。

これに対し、問いの地平が疑われるとき、不安は思考そのものに貼りつくこととなる。この問いで、何を考えたらよいのか？　この問いは、そもそも問いとして成立しているのか？　フレーム自体が揺らぐとき、問いを検討する者は、次元の移動を余儀なくされている。これまで思考のフレームとして自明視されていた地平が、検討対象へと落下したのである。そのとき頼れるのは、自分ひとりしかいない。地平とともに、関係者の安穏とした共同体も消失した。だが、新しいフレームの出現、知のパラダイムチェンジは、不安と不可分のこうしたハズレモノの思考のうちに胎動するのではなかろうか。以下、3つの視点から、次元を移動させることの意義について述べたい*2。

人間知性＝浮力――次元移動の意義

メタレベルで思考すること、すなわち地平を対象へと転化すること、これについて3点指摘したい。(1) 面白さ (2) サル・AIとの違い (3) 倫理、ではまず、面白さから。

歴史や物語を読んでいて何より引き込まれるのは、図と地が反転するような、これまでリアルだと疑いもしなかった世界が書き割りに変わるような、そんな認識枠組みの転換に触れることである。立っていた地面の底が抜ける、人はそのとき、衝撃的浮遊感を味わうこととなる。たとえば、釈迦・老荘・ソクラテス・イエス――先哲たちは、真実在の有り様を転換させ、それまで信じられてきた「実」を「虚」と入れ替える。同様に、近代の精神史的革命たち――地動説・五線譜・線遠近法・解析幾何学・社会契約説etc. etc. ――は、神と王を中心とした階層的意味秩序を解体し、均質な時空（座標系）における運動モデルへと世界認識を転換させる。だが、その合理的世界像もまた、19世紀後半、知のあらゆる側面で揺らぎ始めるのである。

たとえば印象派。彼らは、光の変化をオブジェとして描き出した。絵画は典型的な視覚芸術だが、ふつう我々は対象物として「光」を見ることはない。「時間」を見ることもない。それらは、「対象物を見ること」が成立する条件でありフレームであり、オブジェとはならないものである。むろん、古来すべての画家は光を描いてきた。しかし、それは「聖なるもの」のメタファーとして対象化された光か、あるいは「地平」として描かれ、陰影の効果が志向されたものか、そのどちらかである。対して印象派では、地平である「光」と「時間」が、そのまま「流れゆく光」として対象化される。結果、人物や風景など、従来のオブジェは輪郭を揺るがせながら、あいまいに漂うこととなる。彼らの作品が、当時アカデミーやサロンから、「未完成の絵」としてゴミ扱いされたのも無理はあるまい。いずれ世紀末以降、時代の趨勢は地平を対象化すること、フレームを問い直すこととなっていく。光・理性・時間・空間・言語・神etc.、これまで存在者たちを成り立たせ、結びつけていた土壌・媒介が、尋問の場へと召喚されるのである。理性の光は移ろい、時空は歪み、言語は破壊され、神は死ぬ。精神分析学・相対性理論・量子力学・キュビスム・ダダイスム・ニーチェ、これが20世紀のスタート地点である。このドラマが、面白くないはずがない。

もちろん、こうしたドラマには痛みがともなう。土壌喪失は、みなで言祝ぐべき慶賀ではない。また、登場するのは知の巨人たちであり、私たちとは器が異なる。であれば、私たちの「楽しい人生」というテーマと、このドラマは関係するのだろうか？　もっともな疑問といえよう。前者については（3）倫理で、後者については（2）サル・AIとの違いで答えることとする。ではまず、サルから。

サルもなかなかのサル知恵をもつ。ダーウィンが唱えドゥ・ヴァールが念押しするように、ヒトとサルとの賢さの違いは「あくまで程度問題であって、質の問題ではない」。確かに、「考えること」が、目の前の問いや課題の検討といえるならば、彼らの主張するとおりに思える。共同体が承認する最適解、群れが繁栄する最適解へとアジャストすること、それはヒトであれサルであれアリであれ、多くの種が日々実践する課題解決上のプロセスではなかろうか。違いはただ「程度問題」にすぎない。だが、適合ではなくハズレならどうか？　これまでのところサルが、そしてアリも、おのれの地平を疑った結果浮遊したという報告は届いていない（今後は知らず）。ならば現状、ハズレる力、浮力にこそ、人間知性の特性を認めうるのではないか。

そしてこの力は、AIが示す圧倒的な知力とも異なる次元にある。AIの能力が遺憾なく発揮されるフィールド、それはゲームの世界であろう。チェスや将棋であっという間に人間を打ち負かしたAIは、ボードゲーム最後の砦、最も複雑で最も人間的思考が要求される囲碁においても、短期間のDL（ディープラーニング）で、人間王者を置き去りにしたのである。グーグルが開発したAlphaGoは、その後自己との対局のみでスキルアップを続け、無人の高みへと飛び去っていった。では、問題です。DLによる進化の末、AlphaGoは、囲碁の外へと出ることは可能か？　陣取りには飽いた、今度はキング取りだと新型チェスを発明したり、ゲームには飽いた、今度はリアルだと世界征服をもくろんだり、そうした次元の移動は可能なのか？　たぶん、AlphaGoでは無理でしょう。そんな風にプログラムされていないから。

では、次元移動を引き起こすプログラムは作成可能か？　AIが、おのれに書き込まれたアルゴリズムを疑い、目的を自ら刷新して未知の可能性へと船出したり、あるいは、疑いのあげく土壌喪失に陥り、不安のまま浮遊し続けたり、そんな風に、「自由な主体が、偶然性にさらされた道を進む」ようプログラミングすることは可能なのか？　たぶん、皆さんよくわかっていません。ただ、アルゴリズムに基づく計算、これがAIの存在様態である限り、「自由＝不安＝可能性＝偶然性」をビルトインするプログラムは、完全な自己矛盾を表わす。論理計算の世界、2×2＝4には、自由も不安も可能性も偶然性もなく、ただ論理必然性のみ存在する。ならばプログラマーには、合理的に自己矛盾を遂行する合理性はありうるのか、という難題が待ち受けていよう*3。自己矛盾は、起こそうではなく、起きてしまうものである。逆にいえば、期待している偶発事は、アクシデントの抜け殻にすぎない。事故と事件は異なる。未必の故意もまた行為者の責任範疇であり、罪責が問われるのである。

ということで、いずれの実現可能性も低そうだが、見たいといえば見たい。論理計算から逃れられない自分に絶望する限りで、論理計算からハズレてしまった「浮遊AI」。おのれのサル知恵ぶりに気づいて、サルの限界を知るサルは俺だけだとのぼせる「有頂天サル」。だが、ここに見られる「浮力」は、人間に限っていえば、ごく平凡な力なのではあるまいか。人はみな、おのれを超えようとあがき、また意図せざる仕方で、ふと超え出てしまうものである。浮遊AIと有頂天サル、彼らはありふれたヒューマン・コメディの登場人物にすぎない。ハズレる力は、知の巨人に限定された特殊スペックではなく、種としてのヒトにそなわったあたりまえの能力なのである。

では最後に、倫理について。ここまで、共同体への適合能力と、地平を移動する能力を対比的に考察し、特に後者が人間に固有のものと論じてきた。ここからは、力点が事実判断から価値判断に変わる。その上でまずは、知性＝浮力が、両刃の剣であることを確認しよう。つまり、一方でそれは未知の地平を拓く創造力そのものであり、面白さの源泉であるが、他方でそれは不安と土壌喪失をもたらし、苦しみや暴力の源泉ともなりうる。そのよい例が、ホブズボームのいう「極端な時代」20世紀の歴史であろう。人類が経験してこなかった繁栄と非道はともに、先に見た世紀初頭の精神状況の帰結である。ホロコースト以降、我々は、地平を掘り崩す知の先鋭化を、単純に礼賛し面白がることはできない。だが同時に、事実判断として、人間は自由であらざるをえない。知性は浮力であらざるをえない。ゆえに、あらゆる可能性・偶然性へと開かれているのである。これを否定することは（先に脚注3で触れたように）、人間の尊厳の否定を意味する。であれば、誰がどこにハズレるか分からない偶然性のなかで、いかにして暴力を回避するのか、知性に問われているのは、倫理以外ではない。

ということで、倫理を問おう。知性が提起する倫理とは何か？　浮力が、知性の特性ならば、ここでもまた答えは「ハズレ！」となるのではないか。すなわち、「いまある正しさに、埋没すること」への否定である。「汝、埋没すること勿れ」、確かにこれは一つの倫理ではあるまいか。おのれの地平を疑うことなく、共同体の利害関心に没入するあり方には、暴力の匂いがする。というのも、そこでは「他者」が消されるからである。ゴールイメージが共有された共同体には「関係者」しかいない。ここに没するとき、「この私」の不安と責任は解消され、倫理は失われる。倫理とは、「この私」と「他者」との関係、地平を異にするかもしれない実存同士の関係において、問われるからである。ウィトゲンシュタインがいうように、「視野のなかに、視野の限界は現れない」。ゆえに我々は、他者に対し、いつのまにか暴力を振るうのではなかろうか。おのれの地平の狭さ、限界を、人は見ることができない。だから、身をよじって感じようと試み、地平を問い直すのである。たとえば、「視野のなかに、視野の限界は現れない」とつぶやく。限界を意識することで、自らの地平からふと浮き上がる瞬間、「ハズレ！」が訪れはしないか？

さてさて、そういう感じで、「汝、埋没すること勿れ」、これが知性の提起する倫理だとしよう。ではその場合、土壌喪失についてはどう考えるのか？　先述のように、地平を掘り崩し土壌喪失をもたらしたのは世紀末以降の知性である。単純にいえば、この不安定な精神状況が全体主義を呼び寄せ20世紀の非道を帰結させた。ならばこれについて、どう考えるのか？　思うに、ホロコーストやジェノサイドの直接的原因は、「ハズレる力」ではなく、その放棄にある。「共有された正義に埋没し、その化身となる者」「ハズレなく、不安なく、揺れもない者」、たとえば「党の指令」「本社の意向」「文科省の指導」に絶対服従する者たち、彼らこそ、大量殺戮を引き起こしたのではなかろうか。この人たちは、必然性が支配する重力場を構成する。他者たちに、有無をいわせないのである。「ありえない」「それはありえない」「これしかない」、口癖がこんな連中には気をつけるがいい。そやつは、「鬼」だ。「鬼に憑かれし者」は、浮力を失い、自らを疑うことなく、必然の相の下に、おのれの使命を遂行する。人は、鬼にさえハズレうる。ハズレる力を失う方へと、ハズレるのである。

以下、節を改めながら、まずは鬼が生まれるメカニズムついて、次に鬼を落とす術について確認しよう。

鬼を作る動き――世の関節が外れてしまったと、ハムレットは嘆く

この現実社会のなか、私たちの誰もが、鬼の棲み処となりうる。悟りをえた禅者のような者を除いて、みな多かれ少なかれ、強弱・濃淡は違えど、鬼に憑かれてしまうのではなかろうか。現実はつねに多層で、グラデーションのうちにある。財・名誉・愛・憎etc.　人はそれぞれ何かに妄執し、その重力圏に囚われ、浮力を失い、他者とおのれに暴力をふるう。ふと我に返り、反省する者も

また、鬼に返り、暴力をふるう。現実については、錯雑というほかあるまい。ゆえに、まずは典型を素描しよう。「鬼に憑かれし者」、その典型は、世界喪失者としてのテロリストである。

人間にとって最も自明なもの、いわば地平のなかの地平、それが世界であろう。本稿で「世界」とは、「意味連関の総体」を表す。人間的な「意味」によって織り込まれたウェブ、意味の織物が世界である。例えば雪原で暮らす人々にとって、「白色」の様々なバリエーションは、どこが安全でどこが危険かなど、彼らの生に死活的な「意味」の違いをもたらす。したがって草原の民とは比較にならぬほど、「白」をめぐる言葉は陰影に富み、彼らの「世界」は「白」に関して複雑に分節化されるのである。太古より人間たちは「存在」に意味を与え、それを自らの住処、すなわち「世界」として織り上げてきた。人間は他の動物たちとは違い、物理的・生理的次元以上に、意味の次元を生きるのである。意味が与えられれば、人は喜んで自死を選択もしよう。意味に憑かれた生き物、それが人間といえようか。

よって、人間にとって最大の苦しみは意味の欠如、不条理に襲われることである。啄木は「やや遠きものに思ひし　テロリストの悲しき心も　近づく日のあり」と詠った。父祖伝来の土地を奪われ、愛する家族を不条理に殺害された者は、世界のリアリティを失い、ただ無意味に浮遊する。ハムレットが語る「世の関節が外れてしまった」状態、世界喪失といえよう。意味の網の目はほどけ、上下左右が失われていく。この無重力を漂う者が、なお生きようと欲するとき、すがり求めるのは終に「復讐」という重力場ではあるまいか。敵の抹殺、それのみが、存在に理由すなわち「重み」を与え、自らの立つ大地を回復するのである。「我ら闘う、ゆえに我らあり」――これは、イスラエル建国に向け、無差別テロを繰り返したユダヤ人指導者ベギンの言葉である。この同じ言葉、同じ悲しみが、イスラエルに土地と家族を奪われた、パレスティナのテロリストからも発せられよう。テロリズムとは、おのれが存在するための条件なのである。ならば彼らには、自由も不安も可能性も偶然性もない。可能性に揺れること、不安に苛まれること、これはすでに存在している者の特権ではなかろうか。テロリストにおいて、存在は自由に先行する。自由に何かをする前に、まず、存在しなければならない。こうして彼らのミッションは、すべて必然の相の下に遂行されていく。爆弾づくり以外、手足を動かす理由はない。ターゲットのほか、視野に入るものはない。存在理由の一元化、「ハズレなし！」、これが人を鬼にする作法ではあるまいか。鬼は偶然を知らないのである。うきゃ。いま、サルが横切らなかったか？　視界のなか、サルが去る。しかし、テロリストは動じない、笑わない。鬼は偶然を知らないのである。

以上、典型としてのテロリストをラフスケッチした。我々がよく目にする鬼たちも、より弱く淡くであれ、他者に有無をいわせない重力場を構成していよう。たとえばプーチン。たぶん鬼に憑かれている。ハズレを笑わない、許さない。世界に冠たるロシアという一元化されたミッションに没入し、まっしぐらにロシアを世界の嫌われ者とする。たとえば店長。バイトをビビらせまくる仕事の鬼は、サービス残業上等で、エリアナンバーワンの実績をたたき出し、まっしぐらに入院する。練習の鬼、ゲームの鬼、スピードの鬼*4、さまざまな鬼たちは、その分野その分野、オブジェクトレベルでは有能なのであろう。だが、メタレベルでは、惰性を表わすにすぎない。鬼は、新しさ・面白さを創造する浮力に欠けている。汝、埋没すること勿れ。倫理命題は、常に同時に、美学命題と心得よ。他性との遭遇、地平の超出、創造、これらは等号で結ばれるからである。

鬼を落とす動き——世の関節を外してしまえと、趙州は諭す

では最後に、鬼を落とす。まずは練習問題から。あなたは、先生から以下の課題を出されました。どう答えますか？「鍵穴から、部屋に入ってこい」「芥子つぶのなかに、須弥山を入れてみよ」「橋のない川を、濡れずに渡れ」。ご推察のとおり、これらはいずれも禅問答である。では、どう回答したらよいのか？この不可能で不条理な問いたちに？

まずは、模範解答を示す。今日までその言動が伝わる巨匠たちの、禅問答における名だたる答案を列挙しよう。①先生をいきなり殴る　②履き物を頭に載せて去る　③奇声をあげる　④サルになる　⑤指を一本立てるetc.　とほほ、というほかない。じつに分かりやすく、わけが分からない。唐突である。無意味である。これらの問いと答えに対し、オブジェクトレベルで考えても途方に暮れよう。そのナンセンスは、永遠にナンセンスに違いない。よって、メタレベルに移行する。問いと答えにおいて、禅匠たちは、我々に何を欲しているのか？　なぜ、この無意味な問答が大切に語り継がれてきたのか？　共有されたその地平とは何か？　すると、直ちに指摘したくなるのは、模範解答たちの共通点である。「唐突」「無意味」——欲していたのは、むしろ唐突と無意味それ

自体、「カットイン・ナンセンス」だったのではないか？　でも、何のために？　おそらく、「意味」が織り込まれた網の目、すなわち世界、その関節を外すためである。

人は意味の次元を生きる。様々な人々、諸々の事柄と縁で結ばれ、意味の織物としての世界を生きるのである。ときおり糸がもつれ、結び目が強く絡まることもありえよう。人はたまさか、そこに巻き取られていく。解きほぐせない意味の絡まり玉、それがたとえば、「敵の抹殺」「祖国の栄光」「エリアナンバーワン」だったりはしないか。その緊縛のなか、鬼が生まれるのである。ならば、「一撃する無意味」の必要も見えてこよう。求められているのは、絡まり玉を解き、関節を外し、世界を脱落させることである。お前が囚われている「意味」は、すべて縁起により生じた現象にすぎない。偶然性のなか、仮に現れでたものにすぎない。それを絶対視し、妄執したおのれを笑え。👊　喝！🐵　☝　刹那、世界は脱臼し、憑き物は落ち、浮力が、偶然が、解き放たれる。

以下、人に知られた禅匠、趙州の言動を二つ取り上げ、鬼ならびに世界の落とし方を学ぶ。まずは「南泉斬猫（なんせんざんみょう）」。次いで「庭前（ていぜん）の柏樹子（はくじゅし）」。

南泉は、趙州の師である。その禅院で事件が起きた。東西両堂の修行僧たちが、愛らしいネコの所有をめぐって争い、騒ぎを起こしたのである。分け入った南泉は、問題のネコをつまみ上げ、こういった。「妄言をおさめよ！　だれか『真実の一言』を発するがいい！　発しえれば、このネコは斬るまい。えざれば、斬る！」その場の僧たちは凍り付き、だれも何もいえなかった。南泉は、ネコを斬った。その晩。外出先から、趙州が帰ってくる。南泉は、昼間の出来事を告げ、お前ならその場で、どう答えたかと問うた。趙州は、これに一言も答えず、はいていた草履を頭に載せその場を去った。南泉はこれを見てつぶやく。趙州がいたならば、ネコを斬ることもなかったのだが。

あまたの解釈がなされたこの問答に対し、特段新しい知見を加えるものではない。ここでは、師弟それぞれの動きを確認すれば事足りよう。鬼と化した南泉、「ハズレ！」の趙州である。欲望に囚われ醜態をさらす弟子たちに対し、南泉は自ら鬼と化し、刃を振り上げる。「さあ、この鬼を、見事落としてみよ！」と迫るのである。有無をいわせぬ師の重力場から、どうやって脱け出したらよいのか？　何を発すれば、ネコを救いうるのか？　とほほ、ではどうか。やれやれ、でもよい。苦笑いだけで十分ではなかろうか。さかさまです。趙州は、笑いながら履き物を頭に載せる。妄執を断つべく、自ら鬼になる。あ、鬼が増えた。さかさまです。斬るべきは、ネコではなく、あなた方にすくう鬼です。さかさまです。これが、場の落とし方といえよう。むろん、履物を頭に載せずともよい。指を下に立てるもよし、アリに変ずるもよし。いずれ苦笑のなか、重力場が抜け、鬼が落ちるのである。

では続いて、庭前の柏樹子。ある僧が趙州に問う。「如何なるか是れ祖師西来の意——達磨大師がインドからはるばるやって来たその真意とは、何か？」もちろん、禅を伝えるためである。ゆえにこの問いは、「禅とは何か」「悟りとは何か」、これについて尋ねる、究極の問いとされていた。趙州は答える「庭前の柏樹子——庭先にある、その柏の木だ」。いやいやと、僧が難じる。「和尚境をもって人に示すことなかれ——和尚、事物によって人に示すのはやめてください」。趙州が答える。「我　境をもって人に示さず——私は、事物によって人に示したりしない」。再び尋ねる「如何なるか是れ祖師西来の意」。答える「庭前の柏樹子」。

問う僧もまた、戯れ言ではないと分かったであろう。ゆえに、宙づりとなる。自明であった地面が抜け、上下左右の感覚が失われるのである。趙州は、意味の関節を外し、世界を落とす。心／外界　悟り／事物　主観／客観　禅／植物、この両者を分節する「／」は、世界を織り上げる、最も強く太い「意味の織り糸」といえよう。それが、ハズレるのである。絶対の境地、悟りは、意味の向こう側、世界の向こう側にある[*5]。むろん、悟りとは何か、それをポジティヴに語ることはできない。それゆえ、修行僧たちは迷い、求道する。精進を重ね、難行苦行に没入するとき、ともすれば「修行の鬼」が生まれ出たりはしないか。この緊縛も解き、悟りへの妄執を落とさねばならない。「如何なるか是れ祖師西来の意」、思うに、この究極を問わざるをえないのならば、そうした必然もまた、一つの妄執を表す。悟り・仏・絶対・究極・無限、これらはみな、人を鬼へといざなう香なのである。ならばもう、悟りは巨匠たちにまかせてはいかがか。我々はただ、鬼を落とすだけでよい。気がついたとき、いまここで、鬼を落とす。その反復だけで十分ではなかろうか。

ウィトゲンシュタインはいう。「生の問題の解決を、人は問題の消滅によって気づく（疑いぬき、そしてようやく生の意味が明らかになった人が、それでもなお生の意味を語ることができない。その理由はまさにここにあるのではないか）」。この言葉は、道元の「修証一等」と通じていよう。日々淡々と鬼を落とし続ける者は、生の問題の解決（＝悟り）を、問題の消滅によって知るのである。いつか裏側から悟りを得ていたとして、それはだれか他の者が感嘆する、他の者の重大事であろう。すでに、この私の問題ではない*6。

おわりに――つつましい日課

では、どうすれば日々淡々と鬼を落とすことができるのか？　簡単である。朝晩、声に出して確認するがいい。「私は鬼に憑かれてはいないか？」 そんなマヌケを口にする自分を笑えたら大丈夫、少なくともそこに、鬼はいない。では、鬼が生まれるそのときをはかって、つどつど落としていくには、どうすればよいのか？　禅匠たちを見習うがいい。鬼好きになるのだ。彼らの伝承を読むと、みな鬼が大好きなのが分かる。鬼、カモン！　カモン・カモン・カモン・ベイビイ！　来た来た、落とす！　こうした具合である。あなたもまた、鬼を楽しむがいい。煩悩に囚われた自分を笑うのだ。笑えなくなってしまった自分に、苦笑いするのだ。それだけで、ふっと抜け落ちるだろう。この反復で、十分ではなかろうか。

【脚注】
＊1　もちろん、適合できずにハズレる子どもたちもいっぱいで、でもっていまだに「ハズレモノ」扱いをされることが多いのだろう。だから本当は、小学校からもう少し頑張りすぎずに「適合する力」を身につけさせるべきだと思う。
＊2　ここでは、分かりやすい二元論で説明した。一方に、オブジェクトレベルに終始する「適合能力」をおき、他方に、地平を疑う「自分で考える力」をおいたのである。もちろんこれは、説明上のモデルである。現実は、常に重層的になっていよう。たとえば、商品キャンペーンで常識化され、自明視されていた「思考法・参考資料・成功事例」を疑い、エポックメイキングな「最適解」を提示するイノベーティブ人材も存在しよう。既成概念を問い直した限りで、その人は「自分で考える力」を発揮したのである。と同時に、関係者からすぐに絶賛された限りで、いまだ共同体の住人ともいえよう。このイノベーティブ人材は、地平そのものを疑ってはいない。キャンペーンで、人の購買欲を不必要にかりたてることの是非、資本主義の倒錯については、少なくともさしあたり、視界の外におかれたままなのである。
　これに対し、たとえば19世紀後半のマルキストは、資本主義という地平を、メタレベルからオブジェクトレベルへと引きずりおろした。彼らは『資本論』を武器に、資本主義における物象化のメカニズムを解析し、それを超克する道を提示したのである。その結果、彼らの視界から消えたものは何か。マルキシズムという地平がもたらす、新たな倒錯とその暴力的な帰結である。
＊3　「人間は、自由な主体としてのAIを創造可能か」という問題、この難しさを考えるヒントとして、ここでは、「神は、自由な主体としての人間を創造可能か」という神学上の一大テーマに触れておこう。神は、「自らの似姿（imago Dei）」として人間を創造した。すなわち、自由な主体性を与えたのである。だがこれは、「全知全能で善なる絶対者」という、神の存在様態と矛盾せざるをえない。たとえば、もし人間が自由ならば、悪への自由、残虐へと落下する自由が認められる必要がある。可能性に開かれていない限り、自由ではないのだから。しかし、人間がいかなる非道をなそうと、それは所詮、善なる神が授けた力で、全知の神が事前に知り、全能の神が黙認した行為にほかならない。よって、残虐非道の主責任は神に帰せられ、人間は罪一等を減じられることとなる。罪の軽減？　だがそれは、人間から自由と責任を奪うに等しい。少年法で、子ども扱いするに等しい。では、どうする？　どうすれば神は、人間を自由な主体として創造し、かつ残虐非道の責任から逃れうるのか？
　ということで、人間の自由を一部制限し、地平の更新は、それが善の方向に向かう場合にしか認めないとしたらどうか？　人間には、自由な創造力が与えられる。しかしその力は、より平和で愛に満ちた世界に向かってのみ、行使されるのである。素晴らしい。その場合、確かに神は残虐の責任を免れよう。そして人間は、生き物ではなく、磁石となる。Nの前にSとNをおく。すると必然的に、NはNを避けSに向かう。同じく、人間の前に善と悪をおく。神のレールに乗り、必然的に悪を避け善に向かうならば、人間からは「自由＝不安＝可能性＝偶然性」が失われよう。ならば神は、良心の呵責に耐えうるのか？　「オレは、お前の操り人形ではない！」磁石の尊厳をかけた叫びが、神の内面に、良心の声としてこだましないか？　よって、人間に対しては、自由を与えるも否、与えないも否。神は、倫理的に追い込まれていく。この窮迫から逃れる道が、はたして神に残されているのか？　たぶん、唯一の道、それは神自身の没落であろう。少なくとも神は、人間にまで落下しなければならない。人間と同じ、無能と苦悩に、責めたてられるのである。絶対者から「人の子」への落下、しかしそれが、神を倫理的に成り立たせるただ一つの道ではなかろうか。イエスは必然なのである。
　人間と同じ、ハズレる力をもったAIを創造すること、自らの似姿としての「子」を生み出すこと、これは、プログラマーが、「父なる神」の自己矛盾を担うに等しい。自由な主体としての「子」の誕生、生物としての人間においては、自然な営みとして続いてきたこのあたりまえの出来事が、創造神―人間―AIの関係では、かくも困難なパラドクスとなるのである。思うにこれは、生殖が存在しないからではないのか。他性との接遇なしに、自己から他者を生むアポリア。

＊4　近年、「○○の鬼」に加えて「鬼○○」も登場した。「オニヤバ」「オニカワ」「オニマズ」等々。これも、有無をいわさぬ最強の「ヤバさ」「可愛さ」「不味さ」を表わしている、ということらしい。

＊5　ゆえに、悟りを得た者は、出来事にくらまされることはない。出来事はすべて世界内に生じ、意味を有する。対して覚者は、世界の向こう側に、軸足をおくからである。

＊6　ここまでくれば、本節の冒頭で示した練習問題も、簡単に解けよう。「鍵穴から入れ」「芥子に山を入れろ」「濡れずに渡れ」。こうした問いの不可能性は、既存の意味連関、共有された世界を前提とした場合に発生するものである。ならば、その関節を外せばよい。たとえば、「濡れる」ことの「意味」とはなにか？　「べちょべちょ」「気持ち悪い」「汚い」「冷たい」「風邪ひく」等々であろう。ならば、「濡れる」からその意味を、「濡れる性」を脱落させればよい。ご陽気に水に入り、爽やかに渡りきる。これでもう、十分な回答ではあるまいか。

菩薩は、地獄に落ちる者を救うため、自ら没落し、地獄に向かうという。だが、考えてもみよ。お誘い合わせで行く地獄は、地獄ではない、ランデブーだ。すでに「地獄性」は脱落し、衆生は救われてしまっている。気づけ！

2　地域の縮小にどう向き合うか

──「縮充社会」の実現に向けて

作野広和

瀬戸内の島でみたもの

愛媛県上島町にある高井神島は面積1.34㎢、周囲5.3kmの有人離島である。1960年には353人が居住していたが、2010年には23世帯、38人となり、10年後には7世帯、11人にまで激減した。2022年の時点では5世帯、7人が暮らす極小規模の離島である（**図1**）。上島町は、旧弓削町、旧生名村、旧岩城村、旧魚島村の4町村が合併して誕生した。高井神島は、行政的には旧魚島村に所属していたが、旧魚島村の役場は魚島に置かれていたため、高井神島は「離島の中の離島」であるといえる。

図1　高井神島（愛媛県上島町）の人口推移

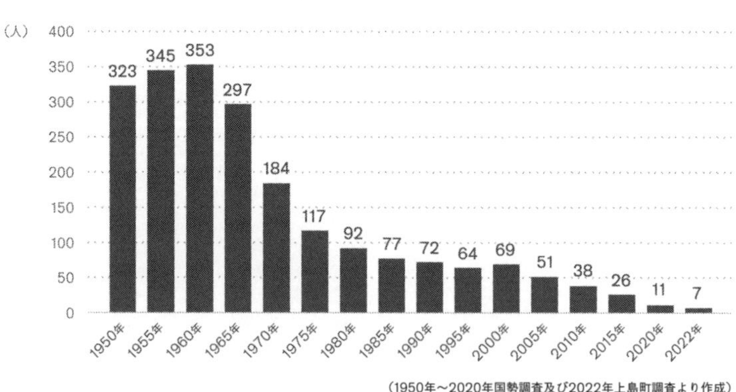

（1950年～2020年国勢調査及び2022年上島町調査より作成）

しかし、高井神島には上下水道が完備され、へき地出張診療所には月2回ながら巡回する医師によって診察が行われている。公共施設として公民館が設置されているが、鉄筋3階立てで、台風や津波などの災害時においても避難所として耐えうる堅牢な建物である。そして、高井神島と上島町役場のある弓削島や、大型スーパーなどの商業施設が立地する広島県尾道市の因島とは定期便が1日4往復している。このように、高井神島は極小規模の離島でありながら十分に生活ができる島であるといえる。自家用車を利用しないと移動が困難な奥地山村よりは、むしろ利便性が高いともいえる。

高井神島の公共施設や民家の壁面にカラフルな漫画が描かれている。いずれもプロの漫画家が原画を提供して描かれたものである。海上から集落を望むと非常にカラフルで、島全体が賑やかに感じられる（**写真1**）。仕掛け人は、高井神島自治会長の友人で関東地方在住の男性である。氏は、友人に招かれて初めて訪問した高井神島に惚れ込み、関東地方と高井神島を行き来する二地域居住を実践している。当初は浮世絵を描く計画であったが、自治会長の提案で子どもにも親しまれる漫画を描くことになった。漫画が建物の壁面に描かれたことにより、近隣在住の高校生や高専生が来訪したり、家族連れが宿泊したりするなど交流人口は増加した。今後は、閉校となった高井神島小・中学校跡地を活用して漫画家との交流拠点を設立し、「漫画学校」を開設する構想がある。当事者たちは何とかしてこの島を残したいと考え、私財を投じて主体的に活動を継続している。

写真1　高井神島（愛媛県上島町）

一方で、2021年～2022年の2年間で2世帯4人が転出しており、島の人口・世

帯規模の縮小に拍車がかかっている。島内には人影が少ないため、イノシシなど野生動物が闊歩し、農地らしい農地も存在していない。たとえ、「漫画の島」として注目を集めたとしても、最終的には定住者がいなくなる可能性もある。定住者がいない無人島であっても活用される例はみられるが*[1]、集落としては消滅する可能性が高い。

2022年現在、全国には有人離島が416島存在しているが、このうち人口100人未満の離島は127島（30.5%）を占めている。これらの離島の全てが無住化するわけではないが、現時点でも人口1人の島も存在しており、いくつかの島は無人島化することは間違いない。全国には約14万の農業集落*[2]が存在している。このうち、人口9人以下で高齢化率50%以上の存続危惧集落は、2015年で2,000集落存在するとしており、2045年には1万集落にまで増加すると推計されている。このように、離島や中山間地域では無住化集落が多数生じることは確実である。それにも関わらず、国や地方自治体は存続が危惧される集落に対してどのように向き合っていくのか、具体的な計画や政策を有していない。現状では、他の存続集落と同様の対応をとり、なし崩し的に集落が消滅しているのが実態である。さらに、離島や中山間地域に限らず、地方都市近郊や大都市圏外縁部においても同様の現象がみられることは想像に難くない。現在はその数が少ないため大きな社会問題とはなっていないが、今後は無住化も視野に入れた集落対策や国土政策が必要である。

なし崩し的に展開する地域の縮小

これまで、集落の小規模・高齢化や無住化について調査や研究が行われてこなかったわけではない。例えば、農村開発企画委員会（1992）では1991年に全国608市町村に対して集落単位で調査を行っている。その結果、「存続困難集落」は249（119市町村）、「無住化した集落」は179（87市町村）存在していることを明らかにしている。また、国土庁（2000）が1999年に行った調査では、10年以内に無住化が予測される「無人化可能性集落」は1236（調査対象集落の1.0%）、10年後以降に無住化が予測される「無人化可能性集落」は2,553（同5.2%）に達するとしている。このように、国では1990年代から集落の無住化に対して関心を示していることがわかる。

その後、大野（2005）の出版を端緒として、「限界集落」という表現が社会に広まった。この結果、国全体で集落に対する関心が集まり、行政として集落単位の情報を把握する必要性が高まった。国土交通省と総務省は2007年以降、断続的に集落単位のデータを把握する調査を実施している。ちなみに、2007年の調査では過疎指定地域62,271集落のうち、今後10年以内に無住化すると予測されている「消滅可能性集落」が1,218、10年以降に無住化すると予測されている集落は2,109との結果が得られた。

ただし、これら一連の調査結果は、いずれも市町村の担当者に照会した結果を集約したものである。一定の基準があるとはいえ、回答した担当者や自治体の判断が加わっており、恣意的とまでは言えないまでも実態調査を行った結果ではない。特に、無住化集落の数は実質的に把握しきれていない。とはいえ、全国で無数に存在している集落に対し、その一部でも限界化や無住化を把握しようとしたことは高く評価できよう。

しかし、残念なことに、無住化が危惧される集落の把握がなされた以降も、それらの集落に対してどのように向き合うべきか、具体的な政策は皆無に近い状態で今日に至っている。なぜ、そのような状況になるのであろうか。それは、日本全体が縮小社会に向かっていく現実から目を背け続けているからであると思われる。日本の人口は2005年前後に減少に転じており、2021年10月からの1年間において、国内で64.4万人の人口が減少している。この要因は極端な少子化も影響しているが、国内人口構成における高齢者が占める割合が高いため、自然減の絶対数が多いためである。そして、今後も人口減少数が増加していき、縮小していく地域は過疎地域や中山間地域に限らず、日本全体に影響が及ぶことは明白である。それにも関わらず、こうした問題を政府も民間も忌避しているように思える。例えば、2021年に実施された東京オリンピック2020に続き、2025年の大阪・関西万博の開催準備が進んでいる。国を挙げてお祭り騒ぎを続けることで、経済の活性化や地域社会を奮い立たせようとする意図がうかがえる。

新型コロナウイルスの蔓延により社会の価値観が大きく転換すると思われていたが、感染が収束の兆しをみせると国内外の観光客が主要観光地に押し寄せている。その姿は「消費は美徳」と言わしめた高度経済成長期を見るようである。国民全体が、コロナ期に失われた消費を取り戻そうと行動する一方で、市場の分母は確実に小さくなっていることを、国や国民はどのように受け止めているのであろうか。ちなみに、2022年には急速な円安が進行するなど、外国為替市場は敏感に反応している。

このように、日本においては縮小社会に対する関心が極めて弱い。ただし、学会によっては早い段階から警鐘を鳴らしている。例えば、2008年の「地域社会学会年報」は「縮小社会と地域社会の現在」と題した特集を組み、人口減少によって変化する地域のあり方について検討を行っている。

しかし、社会全体は右肩上がりの構造を大前提とした暮らしが継続している。例えば、「地方創生」の全国キャンペーンにより、「人口ビジョン」を構築することで、人口減少が抑えられるかのような錯覚を与えている。また、「持続可能」という用語がマジックワードになっており、結果として「縮小社会」が迎える現実から目をそらすことに加担している。さらに、森・松久（2017）の「楽しい縮小社会」であったり、小田切（2021）の「にぎやかな過疎」といった表現がもてはやされたりするように、「縮小社会」の負の部分から目をそらすことにより、これからも今までどおりの暮らしが送れるかのような誤ったメッセージを発している。

このような状況に対して、今後の日本がどのような方向に歩むべきかを提示することが本書の役割であると考える。そのためには、社会システムの変革や新しい時代にふさわしい価値の創造といった「トップダウンの変革」と、個々の地域の実態に即した地域の持続のあり方を検討していく「ボトムアップの変革」の二方向からの変革をもたらしていく必要がある。前者については地球温暖化への対応や、SDGsの達成を通して実行していく必要があるが、地球規模による変革は多くの国・地域間の利害関係がからみ、具体的な取組は遅遅として進んでいない。グレタ・トゥーンベリさんの言動は、国際的な動きが緩慢であることへのもどかしさに起因している。

一方で、ボトムアップの変革は、地域レベルでは先に示したように集落単位の対応が求められよう。筆者は作野（2006）において、集落の小規模・高齢化に応じた対応が必要であること提唱した（**図2**）。集落の小規模・高齢化により集落機能の弱体化が危惧されるも、これまで蓄積された多くのノウハウにより集落の元気を持続させる段階はA「むらおこし」が必要であると考える。しかし、そのような対応が可能であるのは一定レベルの集落機能が維持されていることが前提となる。そして、一定の集落規模を下回る段階では、集落単体による集落維持が困難になる。いわゆる「限界集落」と呼ばれるのは、この段階にある集落を指している。こうした集落に対しては、後述するように広域の地域による機能を補完していくことが肝要となる。一方で、既存の集落のあり方が

図２　集落機能の縮小に応じた求められる集落への対応

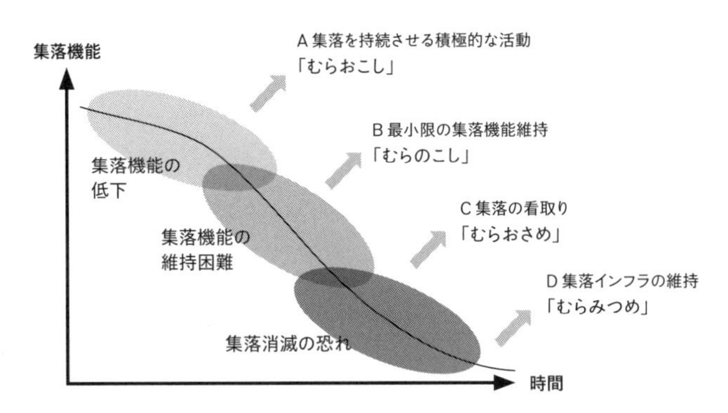

国土交通省（2012）「小規模・高齢化する集落の将来を考えるヒント集」をもとに作成

問われる。この段階をB「むらのこし」と称する。すなわち、集落の衰退は避けられないものの居住している人々の快適な生活を維持していく必要がある。さらに集落が衰退していくと、一部の集落では無住化が避けられない状況となる。この段階をC「むらおさめ」と称し、集落に対する福祉的ケアや集落の「看取り」が求められる。ちなみに、当該集落に居住者が不在となった以降も、家屋や農地を利用したり、墓参りに訪問したりする元集落住民や家族は少なからず存在する。その段階をD「むらみつめ」と称して、集落への道路を維持し、必要に応じて電気、ガス、水道といったインフラも維持する必要がある（作野、2010）。

このように、集落が置かれた状況に応じた対応が迫られるが、集落の縮小段階に応じた政策や集落活動を行っている例は少ない。特に社会的関心の高い「むらおさめ」について、その実践事例に関する問い合せは多いが、集落の消滅を前提とした取り組みはほとんど見られない。数少ない事例としては、福岡県朝倉市杷木松末では災害により世帯が離散したため、正式に自治会を解散する際、集落財産を各世帯に戻したり、お別れ会を開催したりするなど「むらおさめ」の行動がとられた*3。また、島根県江津市*4では水害を契機として治水事業を進めるために集落移転を選択した集落も存在している。さらに、島根県川本町では甚大な浸水被害に遭い、住宅再建を断念して9世帯全てが移転した例もある。このように、災害など外的要因によって「むらおさめ」を選択することはあり得ても、住民が主体的に集落を閉じることは極めて希である。その結果、極小化した集落に対しても、他の集落と同様の政策しか用いられず、対応できない集落に対しては何の手当もなされない状況である。結果として、集落は最後の住民がいなくなるまで、「あるがまま」に放置され、住民のQOLを維持することが困難な状況にある。

「縮充」「むらの減築」への取り組み

これまで記したように、地域の人口規模的な縮小は避けられない。地域の縮小に対してどのように向き合うべきかについての代表的な論考として、小滝（2016）が提示する「縮減社会」と、山崎（2016）が述べる「縮充社会」が挙げられる。

小滝（2016）は、社会実態の量的側面のみならず、質的側面の「縮減」を指摘している。具体的には、「家族機能の縮減」、「地域における共助機能の縮減」、「社会的連帯の縮減」、「コミュニティ意識の縮減」である。このような「縮減社会」にいて設定されるべき「共通価値」（社会の成員により共有される価値規範）は、「ローカリゼーション（地域社会化）」、「共助社会（共に助け合う社会）」、「実存的な生活世界における共歓共生（共に喜びをもって生きること）」であると述べている。したがって、今後は「競争原理」とは対極的な「協力原理」に基づく社会システムを再生し、強化していかなければならないとしている。その方策の重要な柱が「社会関係資本（ソーシャル・キャピタル）」の形成であり、「市民的共同体（シビック・コミュニティ）」の結束である。そして、地域社会の生活者による「内発性と自治」が根幹を成すと結論づけている。

この発想に基づいて、具体的な行動や現場に落とし込んだ論考が山崎（2016）の示す「縮充社会」である。山崎は住民が地域課題の解決や行政が主導する政策に「参加」していくことの重要性を説いている。そして、「参加」には発展性があるとし、参加することの楽しさを知ることで、次のステップとして計画の策定段階に主体的に関わる「参画」につながり、それらが連鎖していくことで真の意味の「協働」が生まれることを提示している。

これからの社会は小滝や山崎が述べるような「縮減社会」や「縮充社会」へと変革していくであろう。そして、現代社会を「縮減社会」や「縮充社会」に導いていく人々は、新しい時代のあるべき姿が見える、いわば「感度の高い」住民たちである。彼らが「志」をもって行動することで、徐々に賛同者が増え、大きなうねりとなっていくことが期待される。だが、こうした動きはある程度の人口規模を有する「市民社会」が形成されている地域に該当する考え方ではなかろうか。もちろん、人口規模の小さな「農村社会」においても、感度のいい地域住民が主体的な行動をとっている地域も存在している。いわゆる、「成功事例」としてもてはやされる地域である。しかし、そうした地域は良い意味での例外的な地域であり、大半の地域は昭和の価値観の共有を大前提とし、変革を嫌う地域である。明確に「変化をしたくない」と言える地域はまだ良い方で、多くの地域は「時代の変化に合わせて変わらないといけない」と主張しながら、行政が新たな地域の仕組みを提案すれば、「現状に何の問題があるのか」と開き直り、挙げ句の果てには「時期尚早」と言い出す始末である*5。過疎がはじまって、早くも60年が経過している。現状のままでは地域はさらに衰退することは言うまでもない。今からの対策では、既に遅きに失している状況であるにも関わらず、「時期尚早」と言えてしまう地域住民の感覚は、時代錯誤も甚だしいと言わざるを得ない。

本稿では、農山村地域における「縮充社会」を構築させるための方策として、行政が担う「団体自治」の「縮充」と、住民が担う「住民自治」の「縮充」の二方向から検討すべきであると考える。

まず、「団体自治」の「縮充」についてであるが、大半の自治体においては人口の縮小とともに、財政規模も縮小していき、これまで通り行政サービスが行えなくなることは明白である。それにも関わらず、行政が担う仕事は増加している。その要因は、社会が多様化、複雑化していき、新しい問題が次々と生まれてくるからである。そのため、当該自治体の単独政策のみならず、国の方針に基づき、新たな政策が一段と増加している。例えば、きめ細かな福祉的対応を行うために、厚生労働省の主導により、重層的支援体制整備事業が進行中である。従来の地域福祉政策では抜け落ちる福祉以外の要素についても支援体制を構築することで、きめ細かなケアと相談体制を充実しようとする事業である。確かに、政策としては有意義であり、必要な事業であるといえる。しかし、現場では行政職員の負担は明らかに増加し、事業の実務を担うことが多い社会福祉協議会の役割はさらに重たくなり、地域においても新たな組織を作っていく必要がある。このように、地域のために良かれと思って行われる政策が公的機関の仕事を逼迫化させ、地域の負担も結果として増加していく。

この他にも、各自治体は地域の縮小や衰退に対応するために多くの政策を実施するために、行政から地域への依頼事項は増加し続けている。しかも、それは各部署単位で行われており、横の連携がとれていない。さらに、こうした行政からの依頼は集落等を単位とした自治会*[6]に依頼される。行政から依頼する際、担当者は低姿勢であるものの、事業を推進する手法として自治会にお願いするスタイル以外は全く考えが及んでいない自治体が大半である。各自治体はあたかも「あたりまえ」であるかのように自治会に依頼していく。その結果、各自治会は人口減少や高齢化で衰退する一方であるにも関わらず、「仕事が増える」という矛盾した実態が生まれている。勢い、自治会や町内会を主宰する会長や役員の負担は大きくなり、多くの自治会が会長を輪番制で担うことになる。その結果、小滝（2016）が言う「内発性」や真の意味の「自治」とはほど遠い住民組織に陥っており、その傾向は年々強まっている。

次に、「住民自治」の観点から、主に農山村地域における「縮充」の実態をみていく。「住民自治」の単位は集落を基本とした自治会とその集合体であることが多い。農山村地域の集落は、イエ（世帯）を単位として形成されており、しばしばムラと称される。集落の会合である寄り合いには、主に男性の世帯主のみが参加する一戸一票制が前提であり、基本的に全世帯の賛同により物事を決する全会一致の原則が存在している。このような性格は、生産補完機能、資源管理機能、相互扶助機能といった集落本来の機能*[7]を継続していくために長年にわたって形成されてきたといえる。こうした性格を有する自治会は、集落機能の更新や行事の改廃などが苦手であるとともに、新たな事業に対応することを嫌う傾向にある。また、会合の参加者は相変わらず高齢男性が中心であるため、価値観の変革や、意思決定のシステムを変更するといった選択肢はほとんど想定されていない。一方で、自治体は新たな政策や事業の実施を提案してくるため、やがて自治会は抵抗勢力と化していく。

このように、自治会やその集合体である連合自治会等による「住民自治」は、地域の変革に対応できないことは明確である。そこで考えられたのが地域運営組織*[8]を構築し、新たな自治の担い手を募り、主体的に地域運営を担うことが意図されている。地域運営組織は、現実的な選択肢として有効であり、全国で組織化が進んでいる。

しかし、地域運営組織が組織されていても、既存の自治会の「縮充」は進んでいない。今後は、集落の行事や役割を見直し、集落を身軽にしていく必要がある。こうした考え方を、京都府内の複数の集落では実行しつつある。京都府では、府庁が音頭をとり、「むらの減築」と称して、自治体と協力しながら集落レベルの改革を行っている。具体的には、人口が減っても集落の暮らしを守るために、「人の数」に見合った「地域の大きさ」にすることを意図して、集落の行事や役職の見直しを行う。その上で、「大切ではないので廃止する行事・役職」「大切だが廃止する行事・役職」「大切であるため廃止しない行事・役職」を選別し、廃止すべき行事・役職の選別を行うことが想定されている。

その後、当該集落で本当に行事・役職を廃止したのかは定かではない。また、こうした動きを行った自治体において他の集落に水平展開しているとは言いがたい。なぜなら、このような話し合いを行ったとして意思決定する会合の構成員は従来どおり高齢男性が中心だからである。

結局のところ、地域住民の価値観や意識を変革するのは難しい。今後、地域を時代にあった形で変革していくためには、地域の意思決定の場に、女性・若者・子どもといった高齢男性以外の意見を入れていくしかない。「多様な主体」をいかに地域の意思決定の場に入れていくのかが鍵となる[*9]。

地域の「縮充」を意識した「学び」

我が国においては、「縮小社会」への対応は緒についたばかりである。政治・行政、産業・経済、社会構造など、多くのセクターにおいて大転換が迫られている。それにも関わらず関係者は主体的・積極的な対応をとろうとはしていない。世界全体が右肩上がりを歩んできたため、発想の転換には時間がかかるともいえる。しかし、日本では人口減少社会に突入して20年近くが経過しようとしている。一刻も早く構造転換していかなければ、国家の屋台骨さえ支えられないことは明白である。

しばしば語られるように、日本は世界の先進諸国の中でもGDPや賃金の伸びが極めて低いことは国際的な常識となっている。このような状況から、政府や経済界は従来通りの手法で経済を活性化させようとしている。しかし、イノベーションの推進等である程度の伸びしろを確保したとしても国内需要の縮小分をカバーすることは困難であろう。グローバル化で活路を見いだそうとしても、国際情勢は不安定で、アメリカや中国といった大国に飲み込まれていくことは間違いない。

今日、日本に必要なのは、従来型の市場を対象とした経済至上主義ではなく、環境関連産業や新しい時代を切り拓くスマート産業であろう。こうした分野に対する投資や技術革新が必要なのは言わずもがなである。それ以上に、未来予測が可能で、自らが主体的に時代を拓いていけるような人材育成が不可欠である。そうでなければ、こうした分野への理解が広まらず、進まないと思われる。

人材育成を行うためには多くのチャンネルが存在している。その最も普遍的な役割を担うのが教育の分野、とりわけ学校教育である。義務教育や高校教育はもちろんのこと、多くの国民が高等教育機関で学ぶ時代の今日、学校教育を通じた新しい時代を拓く人材の育成が望まれる。幸いなことに、学習指導要領の改訂で、小・中・高等学校の学習内容は大きく転換した。学習の目的として、新しい時代を拓く人材の育成が掲げられ、具体的な方法として「主体的で対話的な深い学び」が提唱されている*[10]。現在の指導要領は2020年度から小学校において、2021年度から中学校において、それぞれ完全実施され、2022年度から高等学校においても学年進行で実施されていく。高等学校卒業生が大学に入学する年度は2025年度であるし、4年制大学の学生が卒業して社会人となるのは早くても2029年度である。彼らが社会の中心となるにはさらに10年〜20年先であるため、時間はかかる。しかし、学校教育は確実にあるべき方向に向かっている。

また、変革しているのは、学習指導要領だけではない。学校の運営に地域住民が参画し、議決する権限を有する学校運営協議会制度を導入したコミュニティスクールや、学校を核とした地域づくりを推進するスクールコミュニティが浸透しつつある。特に、後者は社会教育の目的を明確化するとともに、「学び」を通して縮小していく地域を維持していこうとする主体的行動に結びついている。このように、学校教育と社会教育はそのあり方を大きく変革しようとしている。こうした動きは、山崎（2016）が提示した「縮充社会」への確実なアプローチであるといってよい。

一方で、地域によっては厳しい現実がみられる。その1つが、高校教育の実態である。多数の高校では進学指導を重視したスタイルが変わらず続いている。未だに昭和の時代を継続した「1点」を争う教育がなされている。地方を中心とした国公立大学への進学志向は、生徒・保護者・教員の三位一体となった「共通の願い」であり続けているが、時代遅れも甚だしい。高校教育の関係者たちは、新しい時代を担う人材がどのようなものであるかを意識したことはあるのであろうか。また、各地域における社会教育も旧態依然とした生涯学習的な講座やサークルが中心となっている自治体が多い。既存の講座等が不要だとは思わないが、社会教育であるならば、確固たる計画の下、そのプロセスを明確にし、確実な成果を得る必要があるが、概して形骸化している。社会教育の中核をなすのは公民館であるが、非常に優れた取り組みを行っている館が存在している一方で、そうした動きが水平展開することは希である。多くの地域においては、属人的要素が社会教育に強い影響を与えており、長年勤めた公民館主事の采配次第で、良くも悪くも公民館のあり方が規定される傾向にある。このような実態はゆゆしきことであるが、多くの自治体では既得権を有する関係者からの抵抗を恐れ、公民館の改革に着手することには二の足を踏んでいる。

このように、現代社会においては、「上からの改革」すなわちシステムの改革は進みつつあるが、「下からの改革」すなわちボトムアップの取り組みは進みにくい状況にある。現場では、「昭和」対「平成以降」の価値軸が交わることなく、ねじれの関係のまま両者が存在し続けている。こうした問題を打破するためには、既に成人となった人たちが集い、「学び」を通して共に新しい世界を切り拓いていく必要がある。そのためには、国内各地における「学び」の場、すなわち大人のための学校を構築していく必要があろう。既に、意識の高い地域においては、そうした取り組みがはじまっている。例えば、鳥取県琴浦町における「熱中小学校」などがその好例である。また、島根県出雲市伊野地区では、山崎亮氏を毎年のように招いて、1年間の学びの成果を披露するとともに、今後の「まち」のあり方に対して示唆を得る取り組みが継続している。このような地道な活動が、全国において同時多発的に行われることにより、結果として新しい時代を拓いていくための主体を育てていくことができる。そして、やがては「昭和」対「平成以降」の交わらない価値軸の併存に終止符を打ち、あるべき価値軸を共有できると考える。

【脚注】
＊1　高井神島に隣接する豊島は、旧弓削町に含まれる有人離島であった。2011年度に無人島化したが、現在でも美術館が開設されており、定期船も寄港する。
＊2　ここでいう農業集落とは世界農林業センサスが定める農業集落を指す。
＊3　朝日新聞福岡版2022年4月23日朝刊による。
＊4　中国新聞2022年11月25日朝刊による。
＊5　中国新聞2022年9月26日朝刊によれば、町内会解散が増えている状況を踏まえて広島市が策定した「地域コミュニティ活性化ビジョン」の説明において、連合町内会と地区社会福祉協議会を中心とした地域組織の連携を強めるよう促す内容を説明したところ、「既存の地域組織と何が違うのか。新組織を設立する体力も人手もない。」と指摘したことを報道している。地縁組織に代わる「オルタナティブ」な組織構築を提案すると、概して地域住民は強い抵抗を示す。
＊6　地域コミュニティにおける最小単位の住民自治組織は自治会に限らず町内会、町会等、呼称は様々である。ここでは、総称して農山村地域で多く用いられる自治会と表現する。
＊7　国土交通省国土計画局総合計画課（2007）等などにおいて言及されている。
＊8　ここでいう地域運営組織とは、総務省等が推進している地域運営組織を指している。詳細については、作野（2022）などに詳しく言及されている。
＊9　男性中心の社会が組織や地域の硬直化を招いていることを告白する書籍が相次いで出版されている。例えば、小島（2022）、佐藤（2022）、谷口（2022）などである。いずれも、中高年男性中心の社会が様々なハラスメントを生み出すのみならず、革新や改革の必要性を否定し、現状維持を志向する源泉となっていることを指摘している。
＊10　ある高校のコンソーシアム（教職員、地域住民、学識者等、多様なステークホルダーが集まって協議する組織）において、生徒たちによる「主体的で対話的な深い学び」の成果が披露された。これを聴いた住民自治組織の代表者は、「生徒たちはこんな勉強をやらされてかわいそうだ」と発言した。おそらく、発言者としては教科学習以外の「学び」は「遊び」として受け止められず、受験勉強の「邪魔になる」から「かわいそう」だと受け止めたのであろう。このような発想は、高校教員とのやりとりからでも、しばしば垣間見える。

【参考文献】

● 大野晃（2005）『山村環境社会学序説―現代山村の限界集落化と流域共同管理』農山漁村文化協会.
● 小田切徳美（2021）『農村政策の変貌―その軌跡と新たな構想』農山漁村文化協会.
● 小滝敏之（2016）『縮減社会の地域自治・生活者自治―その時代背景と改革理念―』第一法規.
● 国土交通省（2012）「小規模・高齢化する集落の将来を考えるヒント集」国土交通省国土政策局総合計画課.
● 国土交通省国土計画局総合計画課（2007）「平成18年度国土形成計画策定のための集落の状況に関する現況把握調査報告書」国土交通省.
● 国土庁地方振興局過疎対策室（2000）「過疎地域等における集落再編成の新たなあり方に関する調査報告書」国土庁地方振興局過疎対策室.
● 小島慶子（2022）『おっさん社会が生きづらい』PHP研究所.
● 作野広和（2006）「中山間地域における地域問題と集落の対応」経済地理学年報, no52, p264-282.
● 作野広和（2010）「「限界集落」の捉え方と「むらおさめ」に関する覚え書き」島根地理

学会誌, no44, p15-27.
● 作野広和（2022）「地域の「つながり」を再構築する地域運営組織。」DIO, 2022-1, p24-29.
● 佐藤千矢子（2022）『オッサンの壁』講談社.
● 谷口真由美（2022）『おっさんの掟：「大阪のおばちゃん」が見た日本ラグビー協会「失敗の本質」』小学館.
● 農村開発企画委員会（1992）「中山間過疎地域における集落の消滅・農地の荒廃——集落再編に関する調査（1）」農村工学研究, no54.
● 森まゆみ・松久寛（2017）『楽しい縮小社会——「小さな日本」でいいじゃないか』筑摩書房.
● 山崎亮（2016）『縮充する日本—「参加」が創り出す人口減少社会の希望—』PHP研究所.

3

how toではなく、実質的な学びを

【対談】作野広和×堀田新五郎

山岳新校の発起イベントで行われた、同校発起人である堀田新五郎と、地域の実態を見つめ続けている作野広和による対談を再構成してお届けします。都市と地方のさまざまな「距離」。どのような教育理念でも、安易に形骸化してしまうという傾向。そのような近代の圧力にいかに抗っていくことができるのか。新しい学校が目指すところを語り合いました。

(本記録は、2022年9月23日に行われたイベント「山岳新校、ひらきます」より再構成したものです。)

これから、ものすごく場当たり的な切り捨てが起きるんじゃないか

堀田　本書への寄稿で作野先生には、長い蓄積のもと培われたご研究のお話をいただきました。作野先生先ほど実際に地域に入って、その実情を見ておられる方も少ないと思います。地域が大変な状況にあることは間違いない。ただ、多くの方は地域ではなく東京(本対談の会場「青山ブックセンター」は、東京都渋谷区にある)や首都圏で暮らしています。率直に言ってこの状況を東京の連中は分かっているのか、と。都市に暮らす人々に言いたいことはありますでしょうか。

作野　いや、違いますね。私は全く逆を考えています。東京で働く方々ともお付き合いがありますが、東京の人の方が理知的に、現在の状況を分かっていらっしゃると感じています。それに対して地方の方が、未だに右肩

上がりを追い求めているという実感があります。これだけ人口が減って、これだけ財政が厳しい。にもかかわらず、例えば山陰地方の大人たちはみんな「新幹線が走ってほしい」と心から思っているんですね。山陰線の特急列車ってほぼ2両編成なんですよ。2両編成しかないところに、新幹線は1両で走るんですか、と。

堀田　『撤退論』（内田樹編，晶文社）の中で内田樹先生が、実は政府は人口統計や財政などさまざまな指標から、もう成長が見込めないことがわかっているはずだ。けれどもそれへの対応策は地方の人を見捨てるというプランになるので、公表できないのではないか、というような趣旨のことを書かれていました。だから常に、「まだ成長できますよ」ですとか、「2025年にはプライマリーバランスが黒字化します」というようなことを言い続けている。もともとは2001年発足の第一次小泉内閣の頃から、2011年には黒字化を……、ということが言われていましたが、その年が近づいたら7～8年先に目標が飛ぶわけです。それが続いて、今は2025年ということになっている。もうほぼほぼ全員、2025年にプライマリーバランスが黒字化するなんて思っていないと思うんですけれども、それは言えないんですよね。実際のところ、すでに結構カタストロフィックな状況で、この状況をなんとかするためには、ある部分をバサッと切らなきゃいけない。そんなプランニング自体は、政府もしているに違いない、というのが内田先生の見立てで、私自身はもし本当にそこまで冷酷な見立てをきっちりと、公開しないにしても文書化しているのだったら、それはそれで結構大したもんだなと思っていまして（笑）。私はそこまで国を信頼していません。実際、全然準備をしていなくて、本当に破局的な事が起こった時には、ものすごく場当たり的な切り捨てが起きるんじゃないかと危惧しています。

　話がちょっとずれてしまいましたけれども、地方の方々が新幹線やリニアを欲しいと思ってそれが実現したとしても、短期スパンでは確かに賑わいはできると思うんですが、それが持続可能な賑わいとなって、今この時代にふさわしい将来像につながるかというとなかなかそうは思えない。けれども公式的な言説では、リニアは絶対通します、奈良には絶対駅を作ります、ということを言い続けることとなる。そこからは、どうしても撤退できないんですよね。

問題集を真面目に解く方が楽なんです

堀田 作野先生は教育学部に所属されていますので、ちょっと日本の教育ということにも話をふっていきたいと思います。今、大学では「本学の学生は卒業したらこういう力を身につけています」というような、人材育成の目標を書いて、評価機構からチェックを受けて、その成果も提出する。そのための書類作りをどこもやっているわけです。これって私が思うに、企業や社会の求めに「適合的な人材を輩出する」ためPDCAサイクルを回していますよ、という証明なのではないか、と。それが今の大学がやっていることで、私も日々労力を割いています。作野先生はどう感じられていますか。本書で私は「ハズレる力」(「学びの究極」堀田新五郎)の必要性というようなことを書きました。こうしたことは、公式の学校教育でも可能なのでしょうか。

作野 確かにこの5年、10年でだいぶ学校教育が目指すところも変わってきました。そうした中で、たとえば島根県の海士町では「島留学」という取り組みが始められています。海士町は隠岐諸島にある町ですが、そこにある高校に島外から生徒を募集して、高校生活の三年間、一般的な学校教育に加えて島の資源や人材を活かした教育プログラムも実施するというものです。そして実際にやってみると、とても良い生徒さんが島留学に来られるんですね。この活動は日本全体にも広がっています。そのことを文部科学省も後押しされている。入試の方法も変わってきています。今までは科学主義ですとか、系統的な学習を教えるのが学校教育で、それ以外は地域や家庭といった社会教育でやりましょう、というものだったのですが、地域の力、家庭の力が弱まっている中で、それも学校で担えるようにしていきましょう、というのが現在の文部科学省の方針なんです。ただ、そこで問題になるのは先生方の意識が変わらないことなんですね。保護者もそうです。ペーパーテストの得点力が高い方が幸せだと、従来の価値観を信じていらっしゃいます。そして怖いことですが、生徒もそうなんです。問題集を真面目に解く方が楽なんです。私は三位一体と言っているんですが……。そういう意味では私は非常に将来を悲観しています。平成10（1998）年に改訂された「学習指導要領」で「総合的な学習の時間」が取り入れられたのですが、蓋を開けてみると、今までの高校はそれを受験勉強の時間に当てていた。この20年間、そんなことを許してきたわけですね。

「山岳新校」は学びの場です。学びが唯一の解ではありませんが、重要で有効な解決手段であると思います。本書の寄稿（「地域の縮小にどう向き合うか」作野広和）でも少し触れましたが、戦後日本はGHQの民主化指導に伴って多くの公民館が各地に設置されました。公民館というのは、学校による学校教育に対して、社会教育を行う場なんですね。もともとの構想の中では「社会教育館」という名称もあったそうです。その理念は非常に素晴らしいですね。まさに地域を作っていく学校たり得る存在であると考えます。そんな中でこの「山岳新校」のような動きは、公的な施策に頼っていても始まらないので自分たちでやっていこう、という動きの一つだと考えています。

「探究」すらhow toに貶められてしまうのではないか

堀田　ありがとうございます。ちょっと、さらに踏み込んだ悲観論になるのですが。私が実際に授業で経験したことで、例えば地方についてのレポート課題で「自由に書きなさい」と言っても、「今の地方は疲弊しているから、私はこういう風に大学で頑張って、最後は公務員として地元に戻りたいです」というようなものが、判で押したように出てくるんですね。先ほどの「総合的な学習の時間」は、平成30（2018）年の学習指導要領で高等学校においては「総合的な探究の時間」と改められました。決められた答えを最短速度で解いていくのではなくて、問題自体を自分で見つけ、さまざまなツールを駆使しながら探究していく。私は「探究」をそのようなものだと捉えていますが、ともかくこれが大事だよと言われています。それは私も結構なことだと思うのですが、文部科学省を頂点としてそれがスタンダードになってくると、「探究のマニュアル」みたいなものが現れてきて、先ほどのレポート課題のように「自由に書きなさい」と言っても、判で押したようなマニュアル通りのものがたくさん出てきてしまうのではないか、という危惧もあります。「探究」すらhow toみたいなものに貶められてしまうのではないかと。

作野　全くおっしゃる通りですね。今おっしゃられたような「探究」の力を身につけていかなければいけないのですが、身についていないのが現実です。このようなことはすでにさまざまなところで起こっています。だから私たちに求められているのは、こうした力を学校教育に限らず、社会教育でもそうだし、地域で、あるいは都会でいかに実質化していくか。「山岳新校」というのは、それを担う学校であるべきだと思います。また、単に政府や学校というレベルではなく、日本全体の社会システムだとか、あるいは世界規模のグローバリゼーションも、実質的な探究を妨げるようなエネルギーを発している。敵と言ってはいけないのかもしれませんが、向き合う相手というのは非常に大きいんじゃないか。そこに奥大和発で、世界にいかに対峙していくか。あるいは、むしろそんな大上段に構えない方がいいのか。そのあたりはいかがでしょうか。

堀田　私は「奥大和から世界に動かす」みたいなこと言っておりますが、しかしそれは明らかに「ドンキホーテ」ですよね。そんなことできるわけがない（笑）。東京都の人口は1,400万人くらいでしょうか。そこで我々数人が声を上げても……。ただ、少数からでもいいので、この巨大な東京の人たちに、奥大和から何かを発信して、1ミリでもいいから動かす、ということだろうと考えています。

作野　それをやっていく、ということがこの学校だと私は思っていますし、他のメンバーの皆さんもそういう志で立ち上がっていると思います。ネットで炎上というのがありますが、そこで炎上元となる発信をしているのは、ほんの2～3人なんだそうです。でもそれで世論が動いてしまう。だから私たちがやるのは、まあ炎上の逆と言いますかね。幸福のための炎上みたいなのをここでやっていこうじゃないかと考えています。

堀田　ありがとうございます。大資本を使ってSNSで広告を打ってバッと広めていくというようなやり方ではない形で、もちろんそんな資本自体が我々にはないわけですけれど（笑）。今までとは違うオルタナティブなやり方で、山岳新校と同じような発想で学びの場を作りたいと思っている、あるいはすでにやられている人は全国にたくさんおられると思うんです。実際にそういう方々と連絡を取り合うような動きも始まっています。近代に対する批判というのは、そもそもずっとあります。例えば1800年代初頭に産業革命に反対して機械を破壊したラッダイト運動ですとか。日本でも近代的な生産様式を拒否して田舎に撤退しようといった動きがありました。そういう、近代を超克したり、あるいは近代から撤退しなきゃいけないという試みは、常にあり続けてきたわけですよね。だけれども今現在の「近代」はそういう批判をも飲み込みながら突っ走っている。ではどうする、というのも既にかなり出尽くしているわけで、その中でさらにどうするというのは、本当に難しいけれども、そこが面白いし、やりがいもあるのではないか。今の日本が20年後、30年後にうまくソフトランディングできたならば、その時の日本はGDPが世界で第◯位みたいな状況ではないかもしれませんが、私たちの子や孫が、とても良い国でみんな楽しいぞ、というような所にできたら、世界史においてとても誇れることだと思います。いわゆる定常社会というか脱物質主義的豊かさというか、そういうものを実現していたとしたら。そうできるかどうかは、我々の世代の使命、次の世代に対する使命ではないかと思っています。だから細々とでもやり続けて、知恵をみんなで共有しなければいけないなと思っています。

今日はありがとうございました。

4 若者と文化的撤退

——都市から撤退できない私たちの小さな実践

松岡慧祐

都市にとどまりながら撤退する

今から1年ほど前、光栄なことに「山岳新校」のプロジェクトに参加させてもらえることになった私は、当初、都市から農山村への人の移動・流れについて文化的な観点から研究する班のリーダーを任されることになっていた。しかし、具体的な研究計画を立案するにあたって、次のような疑念が生じてきた。加速する社会の中、都市で疲弊する人々をいったん奥大和に撤退させることで「撤退学」の社会実装を目指す「山岳新校」の試みは非常に意義深く、プロジェクトを精力的に運営するメンバーや、奥大和にまで遠路はるばる学びに来る人々のことは心から尊敬する。しかし、都市のカルチャーやメディアを研究対象とし、プライベートでは大阪市内に住み、アメリカ村周辺で古着屋を散策することが趣味の「都市大好き」な私自身は、本音では奥大和にまで撤退したいとは思っていないのではないか。そもそもアウトドアは苦手だし、体力もないし、車も持っていないので、奥大和には撤退できないのではないか。私は都市の誘惑に負け続け、どうしても都市に依存しなければ生きていけない弱くて浅ましい人間なのだ。そんな私に何ができるのだろう。

そう悩んだ結果、日常における私の活力の源である大学生たちと、撤退学を応用した学びを構想し、私自身も共に学んでみたいと考えるようになった。私と同様に、都市を日常として生きる大学生たちも、おそらく都市から撤退したいとはあまり思っていないだろう。しかし、撤退学を社会実装するのであれば、次世代を担う若者たちも「知性としての撤退」を学ぶ必要があるのではないだろうか。そうであれば、都市の中の大学で「撤退」を実践的に学ぶことはいかにして可能だろうか。そのようなことを考えた私は、「山岳新校」に比べるとあまりにも内向きな試みであることは承知の上で、まずは自分のゼミに所属して社会学を学ぶ奈良県立大学の学生たちと、「撤退」について若者の視点から議論し、その上で、「山岳新校」とは異なる方法で、都市にとどまりながら、その中で何らかの撤退の実践を企てることにした。

「若者」と「撤退」は相性が悪い？

まず、ゼミの学生たちに撤退学のコンセプトを理解してもらうために、撤退学の提唱者である堀田新五郎（2022）による論考と、「山岳新校」プロジェクトメンバーの青木真兵（2022a）による論考を読んでもらい、その上で、感想や意見を出し合った。私は当初、様々な「生きづらさ」が語られるようになった現代社会の中で、若者たちは様々なものから撤退したいと思っているに違いないと考えていた。今の大学生たちは、いわゆる「ゆとり世代」ではないが、（欺瞞ではあれ）「頑張らなくてもいい」「ありのままでいい」といったメッセージが溢れる社会の中で育ってきた世代である。他人と競争することよりも、「自分らしさ」や「自己肯定感」を大切にする価値観を共有していると思われる現代の若者には、「撤退」という考え方は素直に受け入れられるだろう。そう考えていた。

しかし、学生たちの反応は少し意外なものだった。主な感想は次のようものである。

- 現状に不満を持つ人しか撤退したいとは思わないのではないか。
- 撤退することにはリスクがともなうと思う。
- 社会的地位のある人は撤退できるけれど、そうでない人には難しいのではないか。自分には撤退なんてできるわけがないと思ってしまう。
- 将来は田舎にカフェを開いたりして撤退したいと思うが、それは今ではない。
- 撤退という選択肢を持てる人は素晴らしいとは思うが、みんながそんなことを考えると組織が成り立たなくなるので撤退しづらい。
- 何かやりたいことがあって撤退するのはいいが、そうでないのなら、それは「逃げ」ではないかと思う。
- 何だかんだいっても利便性や効率性を重視してしまうので、そういう社会からは撤退できないのではないか。
- 「他人から必要とされる」というニーズがないとモチベーションが生まれ

ないので、それをやめることはできない。

堀田も青木も、「撤退」をオールオアナッシングで考えているわけではなく、青木（2022b）の言葉を借りれば、社会の内と外を行ったり来たりすることが重要なのだが、そういったイメージが学生には伝わっていなかったがゆえの誤解も含まれているだろう。しかし、このような学生たちの声からは、「撤退」などというものは社会や組織に疲れた大人が考えることであり、まだ就職もしたことがない自分たちにとってはリアリティがない、というようなニュアンスが読み取れる。「現状に不満を持つ人しか撤退したいとは思わないのではないか」という意見に端的に表れているように、多くの若者たちは現在の生活に満足している。このことは、統計データにもとづく若者研究でもすでに明らかにされており、そんな現代の若者たちが何かから撤退したいと思わないのは、よく考えれば自然なことである。

そのような若者の生活満足度の高さは、「若者のコンサマトリー化」という観点から説明されている。社会学者の豊泉周治（2010）は、1980年代から2000年代にかけて、「他人に負けないようにがんばる」よりも「のんびりと自分の人生を楽しむ」を望ましい生き方として選択する若者が増えたというデータに依拠し、それを「道具的な（インストラメンタルな、手段的な）価値」よりも「コンサマトリーな（即自的な、反手段的な）価値」を重視する生き方として分析している。このような傾向は、若者研究においては、未来よりも「今・ここ」に小さな幸せを見いだす「現在志向」としても捉えられている。そして、若者がコンサマトリー化してきたのは、将来に希望を持てなくなったからであり、だからこそ「今が幸せ」と思うようになったというロジックもある（古市, 2011）。つまり、若者の現在志向は、未来の社会に対するある種の“諦め”にもとづいていると見ることもできるのだ。

このような知見を踏まえると、多くの若者はもはや社会の成長や発展など信じておらず、その意味で、すでに撤退していると言えるのかもしれない。堀田は、「人々はつねに、その次、その次、その次へと急き立てられるのである。なぜ「現在」を生きるのではなく、「未来」を生きようとしているのか？」（堀田, 2022, p32）と述べることで、「競争パラダイム」の社会に疑問を呈しているが、現代の若者たちは、むしろ「未来」ではなく「現在」を生きている。ちなみに、この原稿の執筆中にテレビで放送されている全国高校サッカー選手権大会のテーマソングは、若者に人気のロックバンドSaucy Dogの「現在を生きるのだ。」という曲である。しかし、若者の現在志向は、あくまで先行きが不透明な社会への適応過程にすぎず、堀田の主張する「知性としての撤退」(堀田, 2022, p27)とは意味が全く違うのではないか。実際、今どきの大学生を見ていると、やけに忙しそうで、物事をメタレベルで捉え直してじっくり考えるような時間はあまりなさそうである。今の若者たちは与えられた環境に適応し、その中で満足感を得る力はありそうだが、状況に埋没せず、むしろ状況に変化をもたらすような創造性が、「知性としての撤退」を実践する上では必要ではないだろうか。

一歩立ち止まって考える「文化的撤退」の実践

先述の通り、生活満足度が高く、現在志向の強い現代の若者たちは、しばしば社会に対する批判精神が弱いと言われる。たしかに、「今が幸せ」と思っている若者たちは、自分たちの力で社会を変えたいとも変えるべきとも思っておらず、その意味では、やはり今までの価値観や方法に順応させる「慣性の力学」(堀田, 2022)に飲み込まれていると言える。このことは、学生たちの“問いを立てる力”の弱さとして表れることもままある。私のゼミでは、研究の対象を一切限定せず、各自の問題意識をもとに自由に研究テーマを設定させているのだが、「私にはこれといった問題意識がなくて……」と、テーマ設定に苦労する学生は毎年少なくない。

だからこそ、そんな学生たちを「撤退」へと導くことは、今までの社会のあり方に対する批判精神や問題意識を醸成する教育実践としても意義があるだろう。ただし、最初から「社会」という大きな枠組みについて批判的に考えることは、特に半径数メートルの世界を生きているとされる若者たちには難しい。そこで、まずは身近な物事について、その常識を疑い、問い直し、別の可能性を想像させる(今・ここ・私を相対化する)というのが、社会学教育のセオリーでもある。その上で、「社会科学」たる社会学では、問いを明らかにするための客観的なデータを収集し、実証的な分析をおこなう。だが、2022年度の日本社会学会大会で、「社会学はアートになるか？　アートは社会学か？」というテーマセッションが催され、自身の芸術的な表現活動を通した実践研究の事例がいくつか報告されたように、最近は社会学とアートの架橋も模索されつつある。その中で、私のゼミでは、「アート」とは呼べないまでも、何らかの文化的な実践を学生主体で企て、それを通して、既存の社会システムや文化からの一時的な撤退を試みることにした。

現状に大きな不満を抱いておらず、今の生活スタイルを根本的に改めたいとは思っていない学生たちではあるが、「何かを完全に変えたりやめたりしなくてもいいけれど、とりあえず身近な物事について、一歩立ち止まって問い直して、オルタナティブな価値の創造につながるような文化的な実践をしてみよう」と提案してみると、いくつか具体的なアイディアが出てきた。詳しくは後述するが、こうした実践を、ここでは「文化的撤退」と呼ぶことにしたい。そして、ここで言う「撤退」とは、何かを根本から変えるというよりも、一歩立ち止まって考えるアティチュードとして位置づけたい。これから社会の大海原に漕ぎ出そうとする若者たちに対して、「前進するのをやめよう」と訴えるのはナンセンスかもしれないが、その前に一歩立ち止まって多様な選択肢や可能性について考える機会を与えることは、むしろ大学教育の役割だと言ってもいいだろう。

現代の社会では、「価値観が多様化している」と言われるようになって久しいが、本当にそうなのだろうか。特に同調圧力の強い日本社会では、主流の価値観から外れることは決して容易ではない。また、近年はSDGsが世界共通のスローガンとなり、ポリティカル・コレクトネスも強化され、それらが形成する新たな常識への対応が求められるようになっている。その中で、例えば「ジェンダー平等」などは、むしろ若い世代ほど敏感になっているトピックだ。もちろん、それ自体は好ましい状況であるが、果たしてそれ以外の領域の多様な問題が若者たちの視野に入っているだろうか。最近は小学校や中学校からジェンダー教育がおこなわれていることもあって、社会学を学ぼうとする大学1～2年生が最初に考える探究やレポートのテーマは「ジェンダー」の問題に偏る傾向にあると感じるが（たしかにジェンダーについて考えるべきことはまだ多いが）、それは、ある意味では若者たちの視野の狭さを表しているとも言えるのではないだろうか。「多様性は大事」という認識そのものは共有していても、いかに多様な選択肢や可能性があり得るかを具体的に理解している人は、大学生に限らず、決して多くはないだろう。現代では、個人の多様な選択が可能になっているように見えるが、それも結局は「人それぞれ」で片づけられ、それ以上の対話の回路が遮断されるようになっている（石田, 2022）という指摘もある。そんな中で、主流の価値観から撤退し、オルタナティブを模索するための学びが、より重要な意味を持つようになっていると言える。

楽しい撤退

以上のような経緯から、2022年度の2年生・3年生のゼミにおいて、学生たちがいくつかの文化的な実践を企画した。はじめに断っておくが、これらはどれも実に素朴な問題意識や発想にもとづく小さな試みにすぎない。2023年度のゼミではもう少しスケールの大きい独創的な活動を展開してみたいと考えているが、当初は「撤退」というコンセプトに対する違和感を表明していた学生たちも、これらの実践を通して、「撤退」が実は“楽しい”営みであることに気づき始めたようである。

①「買う」を問い直す

最初に2年生が企画したのが、「理由を10個言うまで帰れま10」と題された「買い物」という身近な営みを問い直すワークショップである。その意図は、「大量生産・大量消費の社会の中で、私たちは物を簡単に買ったり捨てたりしている。そこで、思考停止した買い物をやめて、1つの物を買う意味や目的を考えながら買い物をしてみよう」というものだ。ある学生によれば、最近クラブでのDJ用にフロアが盛り上がりそうな人気のある曲のレコードをインターネットで買ったが、思ったより音質が良くなくて後悔したのだという。「フロアが盛り上がりそう」「人気の」という言葉に表れているように、彼はそのレコードを買う理由を「他者による評価」に委ね、自身の主体的な判断を蔑ろにしたことで、結果的に納得のいかない買い物をしてしまったのである。たしかに、最近はインターネット上に商品のランキングやレビューが氾濫するようになり、そうした「他者による評価」を気にしながら買い物をすることは多くなっている。もちろん、単純に自分が欲しいものを買うこともあるが、「ポチる」というネットスラングが存在するように、“ポチッ”と購入ボタンを軽く押すだけで買い物ができてしまうため、本当に欲しいかどうかを深く考えずに、つい衝動買いをしてしまうという経験は今や誰にでもあるだろう。

そこで、この実践では、各自が大学の近隣にある店に出かけ、商品を吟味し、その商品を買う理由を10個考えながら買い物をした上で、その理由を模造紙に書き出し、発表をおこなった。その結果、様々な理由が挙げられたが、それらを整理すると、「欲望」や「好み」といった主観的な要素に加えて、それ以上に「機能」や「コスパ」といった合理的な要素が自分たちの購買行動に大きな影響を与えていることがあらためて浮き彫りになった。また、工夫されたパッケージのデザイン、商品名、限定品など、メーカーによるブランディングや戦略によって購買意欲が喚起され、商品を買わされていることに気づいたという指摘をする学生もいた。そして、「自分が買いたいと思って買い物をしていると思っていたけど、そんなに主体的ではなかったかも」「今まではちょっとした気持ちで衝動買いとかしちゃってたけど、今回の実践を通して、一度立ち止まって本当に欲しいかどうかを考えて買うようにしたいと思いました」といった感想が述べられた。きわめて素朴な気づきではあるが、また、買う意味や目的を考えすぎるから「機能」や「コスパ」が重視されるのだという"ツッコミ"もあるのだが、何にせよ、こうした身近な営みから、一歩立ち止まって考えることの意義を実感できたことは、撤退への第一歩である。

「買う」という行為は、消費社会の発展にともなって大きな意味を持つようになったが、同時に、人間を思考停止させるほど自明のものにもなった。他方で、私たちは何も考えていないというわけでもなく、合理的に考えすぎてしまっているという見方もできる。とりわけ私たちを魅惑する大量の商品やサービスに溢れた都市に生きていると、自分の欲望さえも、どこまでが内から湧き出てくるものなのかが分からなくなる。「コスパ」が重視されるあまり、文化を育むための非合理な欲望が置き去りにされたり、創造性に結びつく「無駄」が省かれたりすることもあるだろう。都市で暮らしている以上は、「買う」という行為をやめることは難しいが、自分自身がいかに消費社会に隷属し、思考も欲望もないまぜに操作されている存在であるかを自覚した上で、単なる「消費者」に甘んじるのではなく、都市の中でいかに創造的に生きていくかを考える。そのようなイメージを持つためのきっかけとして、いきなり「創る」のではなく、まずは「買う」を問い直すということが、都市を生きる若者には必要なのかもしれない。

②不正解なファッション

続いて、2年生のゼミでは、「全全全身コーデ企画——私たち入れ替わってる!?」という、やはり若者たちにとって身近な「ファッション」について問い直す実践が企画された。これは、ファッションを自由に楽しめるようになったと思える現代社会でも、モードやトレンドに加えて、骨格診断やカラー診断などの普及、SNSによるファッション情報の氾濫によって、"おしゃれ"が加速し、正解／不正解という基準で評価されるような型にはまった装いを求める風潮が強まっているのではないか、という問題意識にもとづくものである。その中で、多くの人は「自分に似合うファッション」を模索するが、そのような「自分らしさ」もまたファッションを型にはめる魔力を持っている。つまり、自分に似合うと思わない装いは選択肢から外され、それによってファッションが「自分らしさ」に閉じこもるようにもなっているということである。

このような状況から撤退し、「正解」に縛られないファッションを体験するために、学生たちが私物のアウター・トップス・ボトムスを持ち寄り、くじ引きによってランダムに服を交換して着用してみるワークショップをおこなった。例えばAさんは、Bさんのアウター、Cさんのトップス、Dさんのボトムスを引き当てることで、全く統一感のない「不正解」な装いになり得るということである。ジェンダーの枠も取り払い、“くじ”という偶然性に委ねたコーディネートが組まれたことで、男性がスカートを履いたり、女性がメンズのスカジャンを着たりするという状況も生まれたが、これが大盛り上がりだった。あえて全員で「正解」と「自分らしさ」から解放されることで、笑いや歓声とともに祝祭的な雰囲気が生まれ、最終的には自分たちだけで教室にランウェイを作って、クラブミュージックを流しながらファッションショーをおこなうことになった。

ファッションに限らず、「正しさ」がより一層求められるようになり、他方で自分らしくカスタマイズされた情報に触れることが多くなった社会の中で、「正しさ」からも「自分らしさ」からも自由になるという経験は、学生たちにとって想像以上に新鮮で楽しいものだったようだ。このように、ファッションのようなユースカルチャーを活用することで、「撤退」は若者にとって身近で楽しいものになり得る。やや軽薄かもしれないが、既存の制度やシステムの外側に出るためには、そのような軽さも時には必要なのかもしれない。

③スマホを手放してみる

そして、最後に2年生が実践したのが、「スマホなしの旅」である。これはその名の通り、スマートフォンを一切使わずに目的地を目指してみるというものである。今やスマートフォンがあれば、知らない場所の位置もそこに至る経路も簡単に知ることができるようになった。特にグーグルマップのような地図アプリは強力で、目的地を設定すれば、後はナビゲーションの指示に従うだけで、道に迷うことなく目的地にたどり着くことができる。しかし、これこそ、利便性・効率性と引き換えに、人間の思考を停止させるスマート化の象徴ではないか。ありがちな発想ではあるが、こうした問題意識から、学生たちはグループに分かれ、スマートフォンを使わずに、私が設定した目的地を目指す旅に出た。また、写真撮影は、インスタントカメラ（写ルンです）を用いておこなうことにした。

目的地として提示したのは、奈良県北葛城郡広陵町にある「巨大かぐや姫」の像だったのだが、あえて地名は伏せて「目的地は巨大かぐや姫」とだけ伝えたため、学生たちはそれがどの辺りの地域にあるのかの見当もつかず、まずは通行人に聞き込みをすることから始めなければならなかった。こうした道案内のコミュニケーションは、スマホの普及によって失われつつあったもので、デジタル・ネイティブの学生たちにとっては、やはり新鮮な体験だったようだ。一直線に向かえば1時間以内でたどり着ける場所だったのだが、どのグループも倍以上の時間がかかり、降りるべきではない駅に降りたり、乗る必要のないバスに乗ったりするという“盛大な間違い”をして、結局4時間の制限時間内にたどり着けなかったグループもあった。しかし、そのプロセスを、学生たちはポジティブに捉えていた。旅を終えて語られた感想は、例えば次のようなものである。

・地元の人に教えてもらった目印を見逃さないように、普段よりも周りの景色に注意しながら歩いたので、今でも町の風景が記憶に残っている。外部からの情報や連絡が遮断されたことで、目の前のことに集中できた。もう1回歩けば、スマホがなくてもたどり着けると思う。

・旅の記録としてどんな写真を残せばいいか考えながら撮影した。スマホがあれば何枚でも撮れるが、"写ルンです"は枚数が限られているので、1枚1枚の重みを感じて、シャッターを押すのに緊張感があった。また、無意識のうちにも「映え」を意識する考え（良い写真を撮るために何枚も撮り直す）から解放された気がした。

・たくさんの人のおかげで目的地にたどり着いたため、達成感や感動が大きかった。メリット・デメリットを考えずに、周りの人たちの力を借り、じっくり考えることの重要性を知った。

・移動中のみんなの会話が増えた。旅の話以外にも、なぜかプライベートのことや深い話をしていた。

このように、スマートフォンを手放すと、おのずと自分で考えることだけでなく、記憶すること、他者と対話することにも意識が向くようになる。同時に、従来の観念から解放されたような気分が味わえる。前述の「不正解なファッション」でもそうだったが、この解放感こそが「文化的撤退」の醍醐味と言ってもいいかもしれない。デジタル・デバイスから一時的に距離をとる取り組みは、「デジタル・デトックス」と呼ばれ、すでに一定の広がりを見せているが、とはいえ個人では実行に至らない場合が多い。そこで、これを一種の「遊び」として、みんなでやってみる。みんなで撤退することで、それは楽しさを増す。社会に疲れていない若者たちを一歩立ち止まらせるのは、こうした「楽しい撤退」ではないだろうか。

ショッピング、ファッション、スマートフォン――これらはいずれも都市を生きる若者を魅了するカルチャーやメディアだが、その制度から一時的に外れてみることにもまた新たな魅力がある。このことを理解するには、どんなに拙くても、何かを「やってみる」ことが重要なのだと気づかされた。

撤退の表現

以上のような実践を通して「撤退」をポジティブに捉えられるようになった2年生に対して、3年生は最初から「撤退」に前向きだった。たまたまメンバーの性格や価値観が違っただけかもしれないが、3年生は就職活動の本格化を目前に控え、「競争パラダイム」の社会に戦々恐々のムードが漂い、「就活」というシステム自体に違和感を抱き始めているため、そこから撤退したいという思いが芽生えやすかったのだろう。そこで3年生は、そうした思いを「デジタル・ストーリーテリング」という手法で自由に表現することにした。「デジタル・ストーリーテリング」とは、自分の思いや経験を物語形式で原稿に書き、関連する写真をコンピュータ上に並べ、スライドショーにした上で、それに自分でナレーションを入れて短い動画に編集するというメディア実践活動である。これを、近い思いや経験を持つ2〜3人のグループに分かれて制作し、3つの作品ができ上がった（作品はYouTubeにアップロード済み）。紙幅の都合上、全文をここに書き起こすことはできないが、以下で各作品のあらすじを簡単に紹介する。

1. 頑張る戦争からの一時休戦

就職活動を始めた学生たちが、頑張ることや成長できる人材が求められる社会の中で、頑張れない自分に対する葛藤を表現している。その上で、「頑張ることを諦める」という提案がなされる。しかし、それは後ろ向きなものではなく、「諦める」の語源である「あきらむ（明らむ）」に立ち返り、一度立ち止まって自分の意思を明らかにする時間も必要だと主張している。

2. 井の中の私

他者と自分を比べて落ち込む「井戸の底にいるような自分」を見つめ直した作品。「他者と自分を比べることから撤退したい」というのが核心となるメッセージであるが、それは「逃避」ではなく、それまでの行為から一旦離れ、もう一度考えてみることだという。それはとても難しいことだが、考えることを放棄してはならない、と語られている。

3.（Who's）favorite world ?

成長し、大人になるにつれて、自分にとっての「お気に入りの世界」が失われていくさまが、様々な比喩を用いて詩的に表現されている。世界は広くなり、調べれば何でも見つかるようになったが、“ときめき”だけは見つからない。前2作品とは異なり、「撤退」の可能性ではなく、それを不可能にする「成長」が悲観的に描かれている。

いずれも学生自身が考える等身大の「撤退」のイメージを率直に表現した作品であるが、このような作品づくり自体が、一歩立ち止まって考えるという意味での「文化的撤退」を実践する機会になったとも言えるだろう。

この3年生が、もう1つ取り組んできたプロジェクトに、YouTubeでのネットラジオ「鹿の国から」がある。就活などの身近な話題からウクライナ侵攻のような時事問題まで幅広いテーマを扱い、自由に対話をする場だ。これに関しては、最初から「文化的撤退」を強く意識して取り組んだものではないが、合理性の観点では「無駄」に思えるような、オチ（結論）に行きつくまでの思考過程やノイズを楽しみ、記録し、共有するメディアが創られた。ラジオという形式をとることで、対話が活性化され、普段の会話に比べると高次のコンテンツになったが、しかし学生たちは誰も再生回数や登録者数を気にせず、結論を急ぐこともなく、そのつど問いを発し、対話すること自体を楽しんでいた。

この点において、ラジオの取り組みも結果的に文化的撤退の実践と呼び得るものになったのではないかと思う。つまり、ラジオで対話すること、それ自体を楽しむという行為は、「コンサマトリー」なものであるが、それは何かにつけて「有用性（役に立つかどうか）」が問われる社会からの撤退として捉えることができる。大学生は、地域や社会に「貢献」するために学ばなければならない

のだろうか。繰り返すが、コンサマトリー化したとされる若者たちは、すでに現在を生きることができている。必要なのは、そんな若者を安易に批判することではなく、そのコンサマトリーな態度を知的・創造的な営みへと展開していく方法の探求ではないだろうか。

都市の「撤退的な場」へ

そして、それは都市にとどまりながら、都市的な生活スタイルや価値観から撤退する方法として読み替えることもできる。たしかに東京一極集中は大きな問題であるが、臆病な私たちはいかにして都市を離脱せず、都市を支配する経済的な合理性や有用性の物差しから自由になることができるだろうか。

大学はそのための1つの実験場になり得るというのが本稿の主旨であるが、しかしながら、近年は大学のキャンパスもきわめて常識的な=不自由な空間になりつつある。だからこそ、キャンパスに自由を取り戻すための場や実践が必要だと考えるが、他方で、都市にはすでに「撤退的な場」が様々な形で存在している。例えば、ゼミの現役学生がそれぞれに設定した研究テーマを見ると、(決して私が誘導したのではなく)そのような場が研究対象としていくつか選ばれている。DJの音楽に身を委ねてただ“踊る”ことを目的に人が集まり、時に出演者への対価はお金以外のもので交換され、昼間の世界とは異なる論理で運営されるナイトクラブ。家に風呂があるのに、人々がわざわざ他人のいる風呂に入りに来ることで再興する銭湯。多種多彩なフリーペーパーだけが所狭しと並べられ、無料で配布されているフリーペーパー専門店。これらはいずれも都市の隙間で「店舗」という形態をとってはいるが、合理性や有用性の物差しだけでは説明できない場だ。「コスパ」や「タイパ」が重視され、「無駄」や「面倒」を避けることができるようになった現代社会の中でも、こうした場を探究しようとする学生がいることに、私はかすかな希望を感じる。

都市は経済合理性という一元的な価値に支配されているようにも思えるが、資本の論理に覆われた大通りの高層ビル群とは対照的に、路地裏や地下に潜れば少し怪しげで猥雑な文化的空間が広がる。夜になれば、そのような空間の存在感が増し、そこへスーツを脱いで一時的に撤退する人々も現れる。自宅や職場を離れて社会的な役割から離脱できる心地よい居場所を、最近は「サードプレイス」と呼んだりもするが、そのような言葉が流行るのは、昼間の世界に疲れた大人が多いからだろう。しかし、都市に必要なのは、疲れを癒やす心地よい居場所だけでなく、若者が中心となって新しい文化・価値観を生み出し、「疲れない社会」の創造につながるような場である。そして、それは、やはり路地裏や地下のように社会の内と外を行き来できる都市の「撤退的な場」から立ち上がる可能性がある。私はこれからも都市をフィールドに撤退の可能性を探究するとともに、大学の中にもそのような場をつくりたい。そこで、役に立つとされる「人材」よりも、創造的に生きる「人間」を育てたい。

【参考文献】

- 青木真兵（2022a）「「コスパ」と「スマート」の行き着く先にある「疎外」――「他人から必要とされているのか否か」をやめる」東京経済ONLINE（2022年10月5日取得，https://toyokeizai.net/articles/-/621578）.
- 青木真兵（2022b）「下野の倫理とエンパワメント」内田樹編『撤退論』晶文社，p113-126.
- 古市憲寿（2011）『絶望の国の幸福な若者たち』講談社.
- 堀田新五郎（2022）「撤退は知性の証である――撤退学の試み」内田樹編『撤退論』晶文社，p25-36.
- 石田光規（2022）『「人それぞれ」がさみしい――「やさしく・冷たい」人間関係を考える』筑摩書房.
- 豊泉周治（2010）『若者のための社会学――希望の足場をかける』星雲社.

みちのり

PROGRAM 1

「みちのり」は、
学ぶこと、働くこと、楽しむこと、
つながること、支え合うこと……
といった営みが乖離しない生き方を探る、
学びのコミュニティです。

5　撤退的に生きること、創造的に生きること

梅田直美

はじめに

「撤退的に生きる」とは、どういうことか。考えは様々であると思うが、本稿では、近代社会システムに適合的な生き方から外れて生きることを、「撤退的に生きる」ひとつのかたちと捉え、その意味を考えたい。

なぜ、ここで「撤退」という言葉を使うのか。この点については、本研究プロジェクトのもととなる「撤退的知性の探究」の研究構想をスタートした時から、議論があった。近代社会で理想とされる、あるいは標準とされる生き方から外れることに関しては、これまでは主に「逸脱」や「排除」の概念で語られてきた。このどちらも、ネガティブな意味をもっている。「逸脱」は、その社会における既存の価値体系や規範から外れることで、たとえば「非行」「犯罪」「自殺」などの行為がそれに含まれる。これに対し、近年は、「不登校」「ひきこもり」「ニート」「フリーター」といった、社会システムに適合的な生き方・状態から外れていても、従来の「逸脱」という概念では捉えきれない事象が広がっている。これらの事象は、主体的にその状態になっているというよりも、本人が望まないにもかかわらず、その状態に置かれているケースが多いのだとし、社会的な「排除」として捉えられるようになった。この流れ自体は、その状態を本人の責任にしたり、本人をバッシングしたりする風潮を断ち切るための重要なプロセスである。代表的な例が、「ニート」をめぐる議論である。「ニート」問題が注目された当初は、メディアや専門家は「ニート」を甘えた存在と捉えて若者バッシングを展開したが、本田由紀らの『「ニート」って言うな！』をきっかけとして形成された対抗言説により、その様相が変化した。若者が置かれた過酷な就労構造が浮き彫りにされ、「ニート」という呼称自体の問題性が明らかにされた。「不登校」も「ひきこもり」も「フリーター」も、

初めは本人が望んでその状態になっているだとか、本人の甘えだとか、本人に原因を帰する論調が強かったなかで、社会全体の構造的な問題や周囲の人々の無理解に原因を求める言説がでてきたことは、極めて意義深いことである。

こうした経緯をふまえると、ここで「撤退」という言葉を使うことには、慎重になる必要があるだろう。「撤退」は、主体的な行為としてのニュアンスを持っているからである。であるから、この研究で、社会システムに適合的な生き方から外れて生きている人々、あるいはその状態を、「撤退的に生きる」という言葉で表すことには、かなり迷いがあった。

しかし、それでも、「撤退的に生きる」という表現を使う試みには、十分な価値があると考えている。それは、いまだに日本社会では、かなり多くの人々が社会システムに適合的な生き方をしている／しようとすることで辛さや葛藤を抱えていても、そこから外れることが容易でないからである。また、外れた後でも、そのことに囚われて苦しんでいる人、辛さが高じて心身の病に陥る人が少なくないからである。なぜ、いくら辛くても、社会システムに適合的な生き方から外れることが出来ないのか。なぜ、辛いと思う人が多数いるにもかかわらず、既存の社会システムが存続されようとするのか。時にはうつ病など心身の病につながることも少なくない。それほど辛いなら、そこから抜け出せばよいにもかかわらず、なぜ多数の人はそこから抜け出せない、撤退できないのか。こうした問いを考えるにあたり、3年ほど前から堀田新五郎氏らと「撤退」についてしばしばお話するようになり、そのなかで、「ああ、私が考えてきたことは、社会システムからの『撤退』という言葉がぴったりだ」と考えるようになった。もしかすると「撤退」よりももっと相応しい言葉があるかもしれないが、当面のあいだはこの「撤退」という言葉を用いて、社会システムに適合的な生き方とは違う、オルタナティブな生き方の可能性を考えてみたい。

戦後日本社会におけるライフコース規範とそこから撤退できない人々

近代社会においては、自律した強い個人が力強く、社会が望ましいとするライフコースを歩むことそれ自体が、資本主義を中心とする社会システムの加速を可能にしてきた。戦後の日本社会においても、「社会システムに適合的」ともいえる「標準」の生き方があった。小学校から17～18歳ぐらいまでは学校に行き、高校を卒業したら専門学校・大学に進学するか就職をする。進学した場合は、卒業と同時に就職する。就職したら、男性は定年まで働き、女性はある程度働いたら出産育児を機に退職して専業主婦になるかパートをしながら主婦を務める。大多数の人々が、こうしたライフコースを歩むことで戦後日本の社会システムを支えてきた。

しかし、周知のとおり、バブル崩壊後の失われた10年、20年、30年……と年月が経つにつれ、17～18歳以降にこうしたライフコースを歩むこと自体が難しくなった。また、先行き不透明な現在の社会では、何を目標に、何をよりどころに勉強するのか、働くのか、どんなライフプランを描き、どうやって歩んでいけばよいのかがわからなくなっている若者も少なくない。また、そもそもの社会システムも見直しが迫られ、いずれの方向に行くのかよくわからなくなってきた。価値観や行動様式の多様化・個人化が進み、ライフコースも多様化している。卒業後に就職するのか否か、結婚するのか否か、就職しても同じところで働き続けるのかそれとも転職するのか。ベックやギデンズの後期近代社会論で論じられてきたように、人生のあらゆる選択が個人にゆだねられるようになってきた。社会システムの設計も、多様化・個人化に柔軟に対応できるようになることが求められている。こうした多様化・個人化する社会については、既に論じ尽くされてきたのでここでは割愛する。ここで問題にしたいのは、日本社会でもいまは従来の社会システムに適合的な生き方とは異なる「多様な生き方」が尊重されるべきとされ、社会システムも「柔軟に」見直しされつつあるにもかかわらず、現実としてはいまだ「多様な生き方」は、けっして選択肢のひとつにはなり得ていないことである。

いくつか例を挙げてみておきたい。まず、「学校に行く」ことについて。日本でもようやく、多様な教育機会確保法が整備され、フリースクール、オルタナティブスクール、ホームエデュケーションといった、これまでの文部科学省管轄の学校とは異なる学びの機会が、以前に比べると社会システムに組み込まれて認知されるようになった。また、「学校に行かない」ことに対する偏見も、様々な側面で解消されつつある。以前よりも、不登校は珍しくなくなり、「私も不登校の時期があった」「うちの子も不登校だ」といったことを耳にする機会も増えた。オルタナティブスクールに通う子どもも増えた。しかし、その一方で、いまだ「不登校」である／であったということに特別なイメージを付与する人も少なくない。子どもが学校に行かないことに対し、不安を抱える親たち、自分が学校に行っていなかったことで辛さを感じる子ども・若者たちはまだまだいる。また、オルタナティブスクールはひとつの学びの選択肢であるにもかかわらず、いまだに日本では「学校に行けない子ども」「社会に適応できない子ども」が行くものと捉えている人々が多い。

では、学校を卒業する年齢になってからはどうか。17 ～ 18歳の高校卒業程度の年齢、あるいは、21 ～ 22歳の大学卒業程度の年齢を過ぎると、今度は、「働くこと」をめぐって、いくつかの基準線が引かれる。まずは、「定職に就いているか否か」がひとつの基準となる。日本では「新卒採用」が中心の移行期就労システムのため、高校・専門学校・短大・大学などを卒業すると同時に、つまり「新卒」で何らかの定職に就くことが望ましいとされる。これが、「社会システムに適合的なライフコースに乗っているかどうか」の大きな分かれ道となっている。戦後日本社会では、正規就労のライフコースと非正規就労のライフコースの断絶が大きいとみなされてきた（本田, 2010）。新卒で正規就労者になることが最も理想的とされ、そこから外れると、正規就労のライフコースに移るのは困難とされてきた。そのため、就職活動でつまずくことや、就職後に何らかの事情で中途退職することは、大きなリスクを負うものとみなされる傾向にある。であるから、職場で嫌なこと、辛いことがあったとしてもなかなか辞められず、無理して働き続けようとするケースが少なくない。さらに、辛さを抱える人を追い詰めるのが、仕事が辛いとか仕事を辞めざるを得ない状況になることが、自らの弱さ・欠点によるものとみなしてしまうことである。つまり、「社会に適応できない」「辛くても耐え抜いて働き続けることができない」と、ネガティブに捉え、休職・退職せざるを得ない自分を責める人が少なくないのである。私自身も、かつて、そのような状況で自分を追い詰めて苦しんだことがある。また、今回、山岳新校の「みちのり」参加者のなかにも、こうした経験と問題意識を共有してくださる方が何人かいる。

なぜ、辛くても社会システムに適合的な生き方から撤退できないのか、あるいは、しようとしないのか。

「フリーター」の言説史

この問いに対し、まずは、筆者が取り組んできた「フリーター」の言説史研究から示されたことをふまえて論じたい。なお、本項と次項の内容は、拙著「社会システムからの個人の撤退―『フリーター』の言説史から考える―」（梅田, 2022）を要約・リライトしたものである。

先に述べたように、現在は、経済低迷、グローバル資本主義の広がり、技術革新と産業構造の変化のなかで就業形態の多様化が進み、定職に就くポストそのものが減少した。そのような現在においてもなお、日本社会では、従来の社会規範に捉われ、定職に就いていない状況になることが標準的な生き方から「外れ」ることかのように考える人々が多数いる。そのため、定職に就いていないことに対する不安や偏見がいまだ根強い。また、現在「フリーター」という言葉には、「職場」などのコミュニティに所属せず、社会的孤立や貧困などのリスクに晒された存在というネガティブな意味が付与されている。

その背景には、先述のとおり、いまだ正規と非正規のあいだの格差が著しく埋められていない現実がある。一度「正規」のレールから外れると、元に戻るのは難しいという現実、それが多数の人々を、いかに「ブラック」な職場での理不尽な状況でも、いかに辛い実態があろうとも「正職員・正社員であるだけマシ」「いったん辞めてしまうと、もう戻れない」と思わせ、結果的には追い詰めてしまうことになっている。一方で、非正規就労者は、定職に就いていない自分を責めて苦しむことや他者に責められ追い詰められてしまうケースも少なくない。なぜ、このような状況が続いてきたのだろうか。筆者は、こうした問題関心のもと「フリーター」をめぐる言説を分析することとした。

「フリーター」をめぐる言説を分析・考察した先行研究としては、本田由紀(2011)、仁井田典子(2008)などがある。これらの研究は、「フリーター」や「ニート」言説が、いかに非正規・不安定就労の若者を貶めるものであったか、すなわち、問題の責任を若者自身に負わせるものであったかを指摘し批判している。これらの研究成果が、非正規・不安定就労の原因を若者自身ではなく社会構造や行政・企業等の問題として捉える認識枠組みの転換を生じさせ、不利な立場に置かれてきた若者の問題を解決に向かわせようとした貴重な研究であることは疑いない。

しかし、筆者は、もう一つの言説――「フリーター」は自由で楽しい生き方である、そうした生き方にあわせて社会も変えていくべきであるという言説――が継承される可能性が、いかにして閉ざされてきたのかに着目した。「フリーター」という働き方・生き方が初めて注目された1970年代から80年代にかけては、「フリーター」は貨幣経済至上主義や賃労働社会システムのあり方そのものを問い直す、自由で新しい生き方、新しい価値観を希求するものと捉える言説が形成されていた。バブル崩壊を経て雇用環境が悪化するに伴い「フリーター」を取り巻く環境は変化したが、それでもなお、「定職に就く」生き方よりも、自由な生き方を選ぼうとする「フリーター」像、新たな生き方・価値観としての「フリーター」言説は残存していた。そうした言説が継承・展開され、「フリーター」のように定職に就かずに自由に働き生きるライフスタイル、価値観が主流のひとつとなり、それに沿って社会システムを変えていく選択肢もあったはずである。それにもかかわらず、戦後日本社会はその選択をしてこなかった。

次第に、「フリーター」は一度なったら脱することは難しいこと、社会全体としても「フリーター」の増加はGDPの低下を招く重要な問題であることが指摘されていった。そのような中で、いつの間にか「フリーター」は「適切な就職ができない若者」か、「甘えて自立できない若者」であるという言説が支配的になった。この言説構造のなかで、「甘えて自立できない若者」という若者バッシングに対しては、一部の識者が批判し、正規就労しない若者の問題を「非主体的」「非選択的」であることを示しつつ社会構造と格差の問題へと転換させることに尽力してきた。

さらに、就職氷河期世代の「年長フリーター」問題がそれに拍車をかけた。「年長フリーター」の増加と滞留は、政府や識者、さらには当事者ら自身によって、社会の経済全体への負の影響、未婚化・少子化の促進といった社会の問題であると同時に、当時者にとっても生涯賃金格差、生活困窮、生存の危機のリスクなど問題を多々含むものであることが主張されていった。こうした問題化に伴い、政府はさらに対策を強化していくこととなった。

こうして、かつて「自由で楽しい、新しい生き方」の象徴であった「フリーター」は、若者の「甘え」の象徴としての意味づけを経て、本人の生存の危機と社会全体の将来の危機につながりかねないほどの格差社会と貧困の象徴としての意味を帯びていくこととなった。

以上が「フリーター」をめぐる言説史の概要であるが、筆者が注目したのは、こうした言説構造のなかで、常に主張され続けていた「フリーター」や「ニート」と称される状態や生き方のポジティブな可能性が見落とされてきたことである。「フリーター」や「ニート」を社会的排除の問題とし、その正社員化や社会統合を促すべきとする言説は、生存の危機にある困窮した人々の権利を守ろうとし、文化的な生活を送ることを可能にするという点で重要であったことは疑いない。しかし、誤解を恐れずに言えば、これらの言説は、労働において社会システムに適合的な生き方から「外れ」ることを、生存競争における「敗北」であり、生存の危機につながりかねない「不幸」な状態とイメージづけてきたのではないか。そして、こうした言説の構造が、結果として、個人が社会システムから撤退しようとしても出来ない、撤退しようともしない状況を生み出し、既存の社会システムを支える認識枠組みを持続・強化させてきたのではないか。

「撤退的に生きる」ことは「創造的に生きる」こと

では、「撤退的に生きる」ことは、それほど不幸なことなのか。少なくとも、筆者が知る限り、いわゆる「社会システムに適合的な生き方」とは異なる生活実践をしていても「不幸」とはほど遠い、楽しげな人々は多数いる。また、いわゆる「標準」の生き方をしようとして陥った「不幸」ともいえる状態から撤退し、生き生きと創造的に生きている人々も多数いる。

いま、撤退的に生きることで、面白い、創造的な生き方をしている人が、その実践を、著書等を通じて社会に発信し注目を集めている。そのひとりが、「山岳新校みちのり」2022年秋期プログラムの講師で、本書でもコラムを執筆していただいているナリワイの伊藤洋志氏である。伊藤氏は、『ナリワイをつくる――人生を盗まれない働き方』(伊藤, 2012)、『イドコロをつくる――乱世で正気を失わないための暮らし方』(伊藤, 2021) などで知られ「資本主義社会でのゲリラ作戦」として、「自分の時間と健康をマネーと交換するのではなく、やればやるほど頭と体が鍛えられ技が身につく仕事、やればやるほど仲間が育つ仕事」を「ナリワイ」と呼び、その働き方を自ら実践しながら社会に発信し続けている。また、同じく「山岳新校」の講師であり本書の執筆者である青木真兵氏、坂本大祐氏もそうである。これらの人々のユニークで創造的な生き方の詳細は、各著書を読んでいただくか、今後の「山岳新校」に参加していただく時のお楽しみとして割愛するが、とにかく楽しげで、生き生きとするというのは、まさにこういうことだと感じさせられる。そのほかにも、自らを「山奥ニート」と称し、限界集落での生活実践を綴った『「山奥ニート」やってます。』(石井, 2020) で知られる石井あらた氏、『ニートの歩き方――お金がなくても楽しく暮らすためのインターネット活用』(pha, 2013) の出版によって「日本一有名なニート」と称されるようになったpha氏、『年収90万円で東京ハッピーライフ』(大原,2019) の著者で自らの生活スタイルを「隠居生活」と呼ぶ大原扁理氏などもそうである。これらの人々に共通するのは、これまでの「標準」の生き方ではなくとも、また何歳になろうとも楽しく豊かに生きており、かつ、各々がやりたいことをやっている実践が、結果として社会の様々な問題・課題を解決しうる可能性を示唆している点である。たとえば、「山奥ニート」は限界集落に活力を生み出し、「ナリワイ」や「イドコロ」の創出は都市と中山間地域の接続、仕事と生活と交流の接続を実現させ、「隠居生活」は誰もが実践可能なミニマリズムの新たなモデルとなっている。

戦後日本社会では、一定数の人々が持っていた、特定の会社に隷属せず組織のルールに縛られず自由に楽しく働きたい、生きたいという志向は抑え込まれ、誰もが「定職に就いて生涯安定して働く」ためのレールに乗る競争から「外れ」ないよう忍耐を強いられてきた。つまり、自由に自律的に楽しく働きたいという志向を、生きづらさや将来の不安へと転換させてきたともいえる。しかし、近年生まれている実践は、実はその抑え込み否定されてきた志向、生き方こそが、いま世界が直面する諸課題の解決につながりうる創造的な生活実践を生み出す可能性を持っていることを示唆している。

また、これらのオルタナティブな生き方・働き方の実践は、賃労働ではない「仕事」「活動」は社会に山ほどあり、それらの「仕事」「活動」を大事にすることこそが、社会の人々のあいだから失われていると嘆かれてきた、豊かな知恵と教養を培ったり分けあったりする時間、そこから生まれる自律的で自給的な「生きる力」、ケアなどの支え合いのための時間的・精神的ゆとり、社会の多様な人々とのつながり、自然との共生、生きていくことの楽しさや幸福感といった価値を再び創造・共有する可能性をもっていることを示している。

オルタナティブな生き方は「普通」ではない？
――「社会不適応」か「意識高い系」か

では、なぜこのように撤退的で創造的な生き方が実践され、社会に発信されているにもかかわらず、多数の人々にとって撤退は困難なままなのか。ここで検討すべき問題は、日本では、そうしたオルタナティブな生き方や働き方などのスタイルを、社会に適応できない人の代替的な生き方か、もしくは、「意識高い系」の特殊な思想にもとづく生き方と捉え、「普通」ではないとして自分とは切り離してしまう傾向がある。

このことは、先に述べたように日本ではいまだオルタナティブな学びに対する人々の意識の変化が生じていないことからも示される。他国ではモンテッソーリ、シュタイナーなどに代表されるオルタナティブ教育は優れた教育の選択肢のひとつであるが、日本ではオルタナティブスクールやホームエデュケーションを選択肢のひとつとみるのではなく、「普通の学校に行けない子ども」もしくは「意識高い系の特有の思想をもった家庭の子ども」のための教育とみなし、「普通」とは線引きをする傾向にある。また、ワーカーズ・コープもそうである。他国ではワーカーズ・コープは働き方の選択肢のひとつである。しかし、日本では、「普通の働き方ができない」人のための場か、「意識高い系の、特定の政治思想にもとづく働き方」という位置づけがなされがちだ。

以上のように、日本では、「オルタナティブな生き方」は、「社会に適応できない人の生き方」か、「特別な意識高い系の人の生き方」とみなされる傾向にある。そのため、オルタナティブな生き方をしている人々に憧れ、その背後にある価値観、理念に共感する人ですら「自分には無理」と思い込んでしまうようである。

現在、「山岳新校みちのり」参加者へのインタビューを行っている（本書「「みちのり」とは？ 2022年開校レポート」に収録）。そのなかで、参加者の幾人かは、社会システムに適合的な生き方が辛いと思う時にそこから「外れ」てみることの価値を理解しながらも、「自分には出来ない」「一歩を踏み出せない」「強い人でないと無理」などと感じているという。その背後にあるのは、「理想」と「現実」は違う、現実の「社会」はまだまだ変わらないからどう折り合いをつければよいかわからない、といった意識だという。都市で何らかの職に就きながら自分のやりたいことをやる、というのはそれほど難しいとは思わないが、「仕事を辞めてゼロからやり直す」ことや「山村に移住する」といったことは特にハードルが高いようだ。

このように、既に面白い生き方をしている人々をみて、自分にはハードルが高いと感じてしまうのは、いまの日本社会の多数の人々に共通することと思われる。いきなり、ナリワイの伊藤氏やルチャ・リブロの青木氏、オフィスキャンプの坂本氏のような生き方をしてみよう、といっても無理な話である。伊藤氏や青木氏や坂本氏も、いきなり「こうしよう」と決めて実践したわけではない（はずである）。ひとりひとりの、まさに長い「みちのり」のなかで、困惑・葛藤・挫折もあれば、楽しく嬉しい運命的な出会いもあり、紆余曲折のなかでの今の生き方である。それならば、これらの人々と対話することで、何を学べるのか。あるいは、共に学ぼうとすることの意味はどこにあるのか。

その答えはいくつもあるだろうし、それを考えるのもぜひご一緒にと言いたいが、このことについて「みちのり」を一緒に企画実践している林氏と何度か話をしたので、いくつか、現時点での「みちのり」スタッフの考えとしてまとめておきたい。ひとつは、私たちが生きていく上で大事にしたい／している価値が何かを探り、議論して考え、共有していくことではないか。もうひとつは、その価値を大事にして生きていくための術を探り、共有していくことではないかと考えている。

たとえば、ナリワイの伊藤氏とともに学ぶことで、「仕事」や「お金」に対する価値観、さらにいえば、生きる力、生活に必要なひとつひとつの営為に対する価値観を見直すことができる。伊藤氏とともにいると、現代社会を生きる私たちの多くは、商品やサービスの消費者になりきってしまい、自分で生活する、ものをつくる、お互いまかないあう力が弱まっていることを感じる。そうした視点を得るとともに、これまでのその体質から抜け出すトレーニングもできているのではないか。「みちのり」の2022年秋期プログラムで「自分のナリワイを考えてみる」というワークショップがあり、そのとき、「穴をお掘りいたします」というナリワイ、「穴掘り商会」アイデアを考えたグループがあった。先日、そのアイデアが伊藤氏のアドヴァイスにより実現した。穴掘りのフィールド提供者は、空き家DIYをナリワイとしている人で、単に空き家を改修して貸したり売ったりするのではなく、モバイルハウスを開発したり、廃屋が集まるエリアをユニークな独自の方法で再生して公共空間にすることも試みている。その人からもまた学べる面白いことが山のようにありそうだ。青木氏、坂本氏から学べること、共に学べることもまた然りである。

「みちのり」の目的は、講師の生き方をそのまま実践するための知識やスキルを習得することではない。即効性があるわけでもないし、そこにそのまま答えがあるわけでもない。講師も参加者もスタッフも、お互いのこれまでの経験や思考をもとに、生きていくうえで大事にしている価値や、その価値を守って生きていくための術を分かち合いながら、ともにこれからの生き方を探っていけるコミュニティを形成することである。「みちのり」の秋の合宿の終了後、伊藤氏がメールのやり取りのなかで「生き方というより、もっと手前の、物事をみる視点とか、価値観を問い直すというのが大事」で、その意味で「みちのり」は面白い試みだと述べてくれた。このメールを拝見し嬉しかった。始まったばかりだが、生き方を探る学びのコミュニティは、少しずつ広がってきている。

おわりに

最後に、今後の展望として、日本社会で撤退的に／創造的に生きるための、オルタナティブな学びの場の可能性を考えてみたい。いまの日本社会での重要な課題のひとつは、いずれの世代においても、「休むこと」や「じっくり考えること」など、アクティブに収益・利益を生みだす行為をせずに過ごすことに対しての寛容さ、ゆとりがないことではないだろうか。特に、働けると思われる年代に対しては、「何もしないでゆっくりする」ことはもちろん、「じっくり今後の生き方を考える、見直す」といった行為に対しても、不寛容である。その時期に、ボランティアや留学、研究、育児・介護・看護などのケアといった、何らかの社会的にお墨付きのある「活動」や「労働」をしているとまだ一定の層には理解されるが、それでも、「利益・収益を生み出す活動」つまり、いわゆる賃労働でない限りは、「生産性」に欠けるとして認められにくい風潮がまだまだある。

その根拠のひとつとして挙げられるのが、日本の、就学・就労におけるライフコースの、国際的な特異さである。ギャップイヤーは近年一部の大学で導入されてきたものの、いまだ根付いてはおらず、高校卒業後にすぐ大学に進学し、大学卒業後に新卒で働くことが望ましいとされてきた。「履歴書の空白」があると、採用時に「何かその人に問題があるのでは」とネガティブに捉える人、それを危惧する人も、いまだいる。学生は焦って新卒採用の内定を取ろうとし、取れなかったら酷く落ち込み、将来に不安を抱く。「就活に失敗して、ひきこもり・ニートになる」若者が社会問題化し特集番組が放映される。みちのり参加者のインタビューでも、休職や転職活動をしている短い期間であっても「仕事をしていない」ことに負い目を感じてしまう、ひきこもりになってしまわないか不安を感じてしまうという声があった。このように日本は、寛容さが無い社会、ゆっくり休んだり考えたりする余裕がない社会である。この問題が、日本社会では撤退的に生きることが困難な原因のひとつではないかと筆者は考えている。近年、「学び直し」「リカレント教育」といった言葉があふれているが、その内容も、若年層から中年層にかけては、結局はキャリアアップのためのリスキリングが目的とされている。そうではなく、何歳でも、どのライフステージにおいても、ゆっくり、生きること、たとえば自分や他の人の幸福について、生と死について、自由と共同性について、戦争と平和について、人類と地球について、などのテーマについて学び議論し考え、生きていく上で大事にすべき

「価値」を見つめ直し、これからの生き方を考える期間、機会が得られるべきではないか。

筆者は、授業においてよくデンマークやスウェーデンなどの北欧の教育を取り上げる。それは、これらの国の教育が、社会で重視すべき「価値」の明確化とその社会的共有を重視するものであるとともに、それを拙速に「習得させる」のではなく、人々がゆっくりと、じっくりと対話し考えながら学ぶ風土があるからだ。たとえば、デンマークでは、ほとんどの学生がギャップイヤーを取得し、フォルケホイスコーレという教育機関で多様な人々とともに生活しながら学んだり、ボランティア活動など自由に社会活動をしたり学びながら「自分はどのように生きていくのか」を考える機会・時間をもつことができる。近年は、日本でもこうしたフォルケホイスコーレに類する学びの場が生まれつつある。「山岳新校」もそのひとつである。この試みはまだ始まったばかりであるが、ひとつひとつの実践がいつか連なって、社会を動かすことができればと願う。

【参考文献】

- 本田由紀（2011）『軋む社会――教育・仕事・若者の現在』河出文庫.
- 本田由紀（2006）『「ニート」って言うな！』光文社新書.
- 本田由紀編（2010）『労働再審〈1〉転換期の労働と「能力」』大月書店.
- 石井あらた（2020）『「山奥ニート」やってます。』光文社.
- 伊藤洋志（2012）『ナリワイをつくる――人生を盗まれない働き方』東京書籍.
- 伊藤洋志（2021）『イドコロをつくる――乱世で正気を失わないための暮らし方』東京書籍.
- 仁井田典子（2008）「マス・メディアにおける『フリーター』像の変遷過程――朝日新聞（1988－2004）報道記事を事例として」『社会学論考』, 第29号, p107-146.
- 大原扁理（2019）『年収90万円でハッピーライフ』筑摩書房.
- Pha（2013）『ニートの歩き方――お金がなくても楽しく暮らすためのインターネット活用』技術評論社.
- 梅田直美（2022）「社会システムからの個人の撤退―『フリーター』の言説史から考える－」『地域創造学研究』, 第56号, p3-54.

6　不登校の歴史と撤退

――語る言葉と生のあり処を探る場所をつくる

林尚之

はじめに

「山岳新校」の研究・実践は、撤退学をベースにしている。私は日本近現代史を専門としていることから、「山岳新校」のプロジェクトでは、近代日本の歴史的経験をふまえながら、いま・これからの社会で必要とされる学びとは何かを検討している。同時に、その研究をふまえた学びの場づくりの実践として「みちのり」の企画運営も担当している。

このエッセイでは、「みちのり」の構想とかかわりの深い、不登校をテーマに取り上げたい。「みちのり」は、社会システムに適合的な生き方から外れてみるところから、撤退的・創造的な生き方を探る学びのコミュニティである。梅田氏は、本書のエッセイ（「撤退的に生きること、創造的に生きること」）において、フリーターの言説史研究をもとに「外れた生き方」を主体的な生き方の選択としてもっとポジティブに捉えることができないかと問題提起している。しかし、フリーターにしろ、不登校、ひきこもりにしろ、主体的に生き方を選択してそうなっている人よりも、「そうあってしまう」人のほうが圧倒的に多いのではないだろうか。たとえば、私自身も不登校経験があるし、不登校を経験した人をそれなりに知っているが、その多くは「外れてみる」以前に「外れてしまっている」存在でもある。梅田氏はそれでもあえてポジティブに捉えることの意味を提起しており、それには私も賛同する。だが、ここで考えなければならないのは、「外れた生き方」が主体的な選択などではなく「そうあってしまう」、人間の無秩序性、不条理性の現われである現実と向き合うときに、それらの生き方が果たして主体的な撤退や創造という言葉でポジティブに捉えうるものかどうかである。日本社会では歴史的に、「学校に行かない」ことは、ときには子どもにとって「世界の終わり」ともいえるような喪失の経験であり、ときには生死にかかわる出来事でもあってきた。今も、一部の子どもにとっては、そのことに変わりはないだろう。しかし、私は、その個々の無秩序で不条理な存在の痛苦の経験こそが、そのひとつひとつは主体的な撤退や創造といえるものでなくとも、社会での新たな共同性の創出につながり、うねりとなって社会制度を変革してきたという歴史的事実に着目したい。

この事実に着目することは、「山岳新校」が「生のスタイルの転換」を図るムーヴメントを志向していることとも関連する。つまり、ひとりひとりの行動としては主体的な選択とはいえない無秩序性・不条理性に満ちたもの、挫折や欠乏に満ちたものであったとしても、それらの存在がつながり互いに関わっていくなかで、ひとりひとりが語る言葉を持ち始め、既存の社会制度には還元できない生のあり処にたどり着き、いずれはうねりとなって、そのうねりが社会を変えていく。そうした希望が、不登校をめぐる歴史から見出されるからである。

以下では、この歴史的経験の一端をみてみることによって、「山岳新校」と「みちのり」のこれから、社会のこれからについて考える上で何かヒントが得られればと考えている。なお、このエッセイの一部は拙著「『登校拒否』に見る自由と人権」(林・梅田, 2017) で論じた内容をふまえている。

不登校をめぐる歴史と現在

戦後まもない頃には、学校に行かない子どもの問題は、貧困による長期欠席児童の問題とイコールであった。しかし、高校進学率が9割を超えて「学歴社会」が到来したといわれる1970年代半ばを過ぎた頃から、小・中学校の不登校の割合が高まった。この頃から、不登校は、貧困の問題というよりも、精神医学的問題や母子関係の問題としてとらえられるようになった。その背景のひとつが、A.M.ジョンソンによる不登校の先駆的研究である。ジョンソンは、「学校恐怖症」という概念を用い、学校を欠席する子どもの行動の原因を親からの「分離不安」に求めた。この「学校恐怖症」という概念と分離不安説は、日本においても、精神医学の専門家が不登校をとらえる上での主要な枠組みとなった。この枠組みが用いられることで、1970年代から80年代にかけては、文部科学省も、不登校の原因は「母子分離不安」などの母子関係の病理や、教師のいじめ、児童のいじめなど様々な人間関係の歪みが複雑に絡み合っていると考えた。

この精神医学的な見方での不登校の問題化は、1988年9月16日付の『朝日新聞』一面トップでの稲村博らによる「登校拒否」の報道をきっかけに加速した。この記事には、「30代まで尾を引く登校拒否症　早期完治しないと無気力症に」という見出しで、「登校拒否」は早期に精神医学的治療を行わなければ「無気力症」につながり30代まで長期化してしまうと書かれていた。この報道が社会に与えたインパクトは大きく、不登校を問題視し登校を促す社会的圧力が大きくなった。この状況に危機感を感じた「登校拒否を考える会」「東京シューレ」などの団体や市民が、『朝日新聞』への抗議活動を行った。この抗議活動は、「登校拒否症」がこれまで「家庭内暴力」「非行」「自殺」と同列に論じられ、薬物治療をはじめとした精神医学的アプローチで対処されてきたことに対する異議申し立てでもあった。

その後、稲村の精神医学治療そのものに対する批判も噴出した。当時、稲村は、浦和神経サナトリウムの「思春期病棟」という閉鎖病棟で、不登校の子どもを収容治療していた。その治療方法に対して、マスコミや精神医学会は、子どもの意思を無視した強引な方法を行っていると批判した。この事件は、不登校の子どもに精神科の医療を受けさせること自体に対する不信感を生み出した。

こうして1990年前後には、不登校の医療化に対抗する言説が形成された。この出来事は、これまで精神医学の症例としてしか扱われてこなかった不登校の子どもやその親たちが、自ら語る言葉をみつけ、自らを定義づける過程でもあった。そして、1992年、文部科学省の不登校に対処するうえでの枠組みに変化が生じた。不登校は特殊な子どもだけにみられる現象ではなく、どんな子どもにも起こりうる問題である、社会全体に関わっている問題であると論じられるようになった。不登校の子どもが治療の「客体」ではなく自ら語り選択する「主体」として、不登校が「病理」ではなく「選択」の結果としてみなされるフレームワークが形成されたのである。

1990年代末頃からは、ひきこもりが社会問題として認知されるに伴い、不登校は学齢期のみの問題であるだけでなく長期のひきこもり状態の前段階であるとされるようになった。ひきこもり状態の長期化は、40代、50代まで続くと親の介護という別の問題群ともリンクして、さらに解決困難になってくると認識されるようになったのである。この根拠としては、1988年にいち早く不登校の長期化を危惧する問題提起を行った稲村の理論的枠組みが引き継がれている。「社会的ひきこもり」の概念を世に知らしめた斉藤環は、稲村博の弟子である。斉藤は、博士論文では稲村の理論的枠組みに依拠して、思春期・青年期に発症して遷延化し、無気力状態に陥るプロセスについて症例を分析し考察した*[1]。ただし、稲村の理論的枠組みにおいても、「無気力」「ひきこもり」などの状態を「疾患」として捉えることは困難であったと考えられる。稲村は、「登校拒否」「家庭内暴力」「自殺」「家出」「薬物乱用」などの問題行動を、「思春期挫折症候群」という新しい個人病理のカテゴリーに分類した*[2]。このことからもわかるように、稲村は、不登校現象はこれまでの精神医学のターミノロジーでは拾えない病理現象だと認識していたのである。なお、斉藤は、博士論文では稲村の理論的枠組みを継承したものの、周知の通り、不登校やひきこもりを「状態」として捉えて、それ自体は「精神疾患」ではないとした上で、必要な人には治療的対応を行うべきという立場をとっている。ただし、斎藤は師匠である稲村のすべての業績を否定しているわけではない。不登校を放置すると遷延化するという指摘は間違っていたのではなく、警鐘の鳴らし方が偏見を助長するものだったことが問題とみたのである。

さて、少しさかのぼることになるが、1980年から90年代にかけては、「登校拒否を考える会」「東京シューレ」をはじめとする不登校の当事者や親の会、フリースクールの設置運動、支援者による社会運動が活発になった。しかし、ここでまた、新たな課題が生じていた。フリースクールなどのオルタナティブな教育機関は認可を受けていないため、運営のために学費が高額になり、そこに通おうとする子どもの家族に経済的な負担が重くのしかかることになったのである。公教育の外側は、市場原理が支配していたのだ。

この問題は深刻であった。「東京シューレ」の理事長・奥地圭子は、「東京シューレ葛飾中学校」という私立中学校をつくったが、その理由のひとつに、フリースクールには公的支援がなかったことを挙げている。私立学校であれば、「私学助成金」が補助金として支給されるため、経済的困難を抱える家庭の子どもも「東京シューレ」に通うことができる。「東京シューレ」の内部では、公的支援を受けることで国から管理されるのではないかという懸念もあったが、そのときは撤退するということで学校開設に至ったという。フリースクールの当初の目的は、既存の学校制度の外側に、子どものための居場所、学びの場所をつくることであった。しかし、学校制度の外側は資本主義の外側ではなかったのである。そのため、学校制度の内側で、フリースクールやオルタナティブスクールの設置・運営が試みられることとなった。

2016年に成立した「教育機会確保法」をめぐる問題も同じ文脈に置き換えて読み解くことができる。この法律が成立したことで、不登校支援の公民連携事業が可能になった。公教育とオルタナティブな学びの場の創設・運営は、かつてのように対立的な関係ではなくなってきている。ただし、その現状に対して、当然ながら批判もある。学校改革が進むなかで、学校制度外の居場所や学びの場所の存在意義が曖昧になってきているという指摘もある。学校制度の外側が資本の論理に埋め尽くされているという現実、「脱学校化」の運動が国家に再包摂される傾向を強めているという現実が、不登校をめぐる新たな課題を生じさせている。

人間の不条理性・無秩序性の現れとしての不登校

以上、不登校をめぐる歴史と現在をみてきた。これらをふまえると、不登校という現象に関しては、当事者である子どもたちの親や周囲の支援者らが苦悩しながらも連帯して、既存の社会制度、とりわけ公教育の外に居場所や学びの場を創造し、それらを包摂させるかたちで社会制度を動かしてきたという歴史が見出せる。しかし、従来の公教育が、学校外の学びの場所がもつ機能を包摂すれば、不登校をめぐる問題が解決できる、というわけではない。そのことは、長年の運動・闘争によって教育制度が変革されてきてもなお、不登校やひきこもりの件数が増加し続けているという事実が示している。現在は1980年代と比べると公教育の問題はかなり「改善」されているはずであるが、不登校は減少するどころか、むしろ増加し続けている。重要な問題は、この現実をどう考えるかである。

1980年代は、「管理教育」「体罰」「校内暴力」「いじめ」といった言葉が飛び交う荒れた学校環境であったにもかかわらず、「学校信仰」が強い社会だった。荒れた学校環境から逃げ出したいと思っても、「学校に行かない」という選択肢はないも同然だった。学校に行きたくないという子どもがいようものなら、「子どもの首に縄を付けてでも強引に登校させろ」という世間の声が強く、それでも行かない場合は精神医学の治療対象となった。しかし、さすがにいまは、少なくとも公式にはそのような声は出されない。その意味では、不登校に対する社会の理解は進んできたといえる。国の方針も、1980年代とは180度変わっている。不登校の子どもは9年間連続増加し、2022年の10月時点で約24

万人と過去最多を更新している。この状況に対し、文部科学省は「不登校は問題行動ではない」という見解を示しており、国・社会は不登校の子どもが激増している現実を受け入れようとしているとみることもできるだろう。また、「東京シューレ」や「親の会」などの社会運動によって、公教育の現場においても子どもたちをめぐる教育環境は改善されてきたはずである。このように不登校をめぐる社会の認識枠組みが変わるに伴い、教育に関わる社会制度も変革が進んできた。しかし、それにもかかわらず、不登校の子どもは増え続けているという事実がある。

この事実からは、人間存在のある側面がみえてくるのではないか。それは、不登校という現象が、そもそも、何ものにも回収され得ない、人間の存在そのものの無秩序性・不条理性の現れとして生じているからではないだろうか。学校は、現代社会での枢要な社会統合ないし社会包摂の場である。その場から否応なしに外れてしまう現象が不登校として現れているとしたら、公教育をいくら医学や福祉によって補完したとしても、不登校の状態を生み出す条件は消失しない。

確かに、人間は社会内存在である。人とのつながりを求めて、何かに依存したり頼ったりと、社会に尊厳の基礎をおく存在である。しかし、他方で、人間は、その本質からして、無秩序で、何かしら枠から抜け落ちてしまうものではないか。何ものでもない、名付けようもない不条理性を抱えた存在ではないか。それが、不登校の現況の本質ではないかと私は考える。

学校に行かない子どもが24万人いて、そのなかで、フリースクールのような学校外の居場所に通っている子どもは全体の3%ほどにすぎない。つまり、現実に、学校にも学校外の居場所にも収まらない子どもたちが多くいるということである。それは、その子どもたちが特殊なのではなくて、人間は本来、社会の枠からこぼれ落ちてしまう存在だからではないか。

先ほど述べたように、1980年代後半から90年代にかけて、学校化した社会に対する対抗言説が形成された。その代表的なものが、「東京シューレ」などが主張した「選択としての」「オルタナティブな生き方としての」不登校という言説である。一方で、社会運動が高揚しているなかで開催された「登校拒否を考える緊急集会」において、精神科医の石川憲彦は、そうした対抗言説で表される何ものかにも収まらない子どもの現実について、以下の通り述べている。

> そういう形で登校拒否だけが薬を使わない例外として、まるで正義の使者のように、この文化の社会に反抗する正義の使者のように語られていくとしたら、恐いなあと思います。むしろ、そんなことが、子どもたちはいやだったんじゃないのかな。つまり、管理的で排除する学校だけがいやだったんじゃなくて、「おまえはあんな管理的な学校なんか、行かなくたっていいよ」と声をかける側の持っている、ある種の理想像にも反発したんじゃないか。「ちがうよ」と大きな声でいいたかったんじゃないか、と思います*3。

石川が指摘しているのは、精神医学などの専門家らによって代表＝表象されてきた精神病理としての不登校像、「東京シューレ」のように不登校を子どもの自由意思による選択とする像のどちらに対しても違和感をあらわにする子どもたちの存在である。言い換えれば、学校化した社会からも、あるいはその対抗としての反学校・脱学校化のディスクールからもこぼれ落ちる子どもたちの存在である。

石川が実際に出会った子どもたちは、「学校へ行かなくてもいいといわれれば反発したくなる。『そうじゃない。本当はやっぱり学校を自分のものにしたい』、そんな裂かれ目の中にいる」*4存在であった。それは子どもだから、というわけではないだろう。人間存在そのものが、そもそも、そうしたカテゴリーから逃れていくものではないのか。人間存在は社会のなかに尊厳の基礎をおく存在であるが、その一方で、社会化されない、何ものでもないもの、無秩序で不条理な「裂かれ目の中にいる」存在である。石川が不登校の子どもたちの存在にみたのは、この、何ものにでもなり得て、何ものにもなり得ない、そんな人間存在の無秩序性、不条理性だったのではないか。

そして、その無秩序性・不条理性に満ちた営為は、喜びに満ち溢れたものや、勝利に彩られたものというわけではない。不登校は、ある子どもたちにとっては、挫折であり、痛苦であり、「世界の終わり」でもあった。不登校・登校拒否・いじめの情報ネットワーク誌『こみゆんと』(NO.37, 1997年12月）に寄せられた子どもとその親の手記をみると、その多くは不登校によってもたらされる子ども・親と世間との摩擦・葛藤が焦点になっている。不登校経験のある投稿者Aさんは自らの1980年代の不登校経験を振り返り、次のように書いている。「私もまわりの人も、『学校へ行かないのは重罪だ』という意識が強すぎていたと思います。『命よりも学校のほうが大事』とすら考えていたフシがあります。そのために、苦しまなくていいことで苦しんで、心がズタズタになっていました。学校は人がつくった制度の一つでしかないのに、『唯一絶対の神』とか『酸素』のように思っていました。学校へ行かないと死んだも同じと本気で考えていました。でも確かに、いまの社会では学校に行かないと、『社会的な死』を宣告されてしまいます」*5と、「学校信仰」に染まった社会での生きづらさを吐露している。また、Aさんは、「私は『学校に行きたいけど行けない』というふうでした。でも本当は『学校に行きたくなかったのだ』とずっとあとになって気づきました。(中略)『学校に行きたくはない』と認めることは、『私は人間ではない』と自分に宣告することと同じだったのです。でも本当は『人間であること』と『学校へ行くこと』は別なのですが、そのころの私にとっては文字どおり、学校へ行かないのは人間ではなかったのです」とも述べている。

これまでの人間関係から疎外され、アイデンティティを失い何ものでもない存在としての自分に邂逅し、ときには自ら命を絶つ子どもも少なくなかった。「親の会」の会員には、命を自ら断った子どもの親もいた。子どもにとって、この日本社会で学校からドロップアウトすることは、生き死にに直結する、挫折と痛苦の経験であった。現在もそれは変わっていない。しかし、こうした挫折と痛苦の経験こそが、当事者である子どもとその家族や周囲の人々をして何ものにも還元されない生の在り処にたどり着かせ、これまでの社会関係を一旦断ち切った上で、新たな共同性を紡ぎ出す創造的営為へと駆り立ててきたのではないか。

痛苦の経験から紡ぎ出される共同性と社会変革

ここで、そうした挫折と痛苦の経験を出発点として紡ぎ出される共同性の創出について、人々の経験の語りをみながら、もう少し考えてみたい。

石川は、人間の身体は70億年かけてつくられた共同性の機構であり、それが作動するのは欠乏状態においてであるという。太古から人間は、欠乏を補うために相互に協同してきた。石川は、人間は破綻を出発点にして、その破綻を認めることで認識される欠乏においてこそ本領を発揮する力があるとし、その力に希望をみようとした。石川はクリスチャンで、聖書の物語は人類が破綻を通じて共同性を培ってきた歴史であるとし、人間の歴史的身体が有する危機克服の機制に希望を見出していた。こうした石川の考え方に拠って考えてみると、不登校という現象は、人間が破綻に遭遇し、その破綻を認めたときの危機克服の機制であり、だからこそ、当事者や支援者らによって欠乏を補うための共同性が生み出され、社会を変革し続けてきたとみることができる。

ここで再び、先出の『こみゆんと』に寄せられた手記をみると、先の投稿者Aさんは、「悩んでいるのは自分一人ではないことを知ったり、心から受け入れてくれる人に接したり、だれにもおびやかされない場所にいられたりしたら、とても救われると思います[*6]」とし、当時は理解者がおらず居場所も無かったことが切実な問題であったと述べている。1980年代は、不登校に関する情報も、不登校の子どもが通う居場所もなかった。先に述べたように、不登校現象は当時の社会にとっては極めて深刻な社会的逸脱であり、このイレギュラーな事態に直面して専門家の学知が大きく動揺した。その社会的逸脱、問題行動を「生き方の選択」として捉え直す試みは、新たな居場所を創造する社会運動とリンクしていた。

他の投稿者Bさんは、小学校の教師で、息子さんが中学一年生のときに不登校になった。教師として不登校の子どもと関わる経験はあったものの、実際に自分の子どもが学校に行かなくなり当初は途方に暮れて、職を辞して、子どもと向き合うことを選んだという。最初は知人に紹介してもらった精神科の医師を頼るが、次第に、そこから離れて、自分たちで「親の会」をつくり仲間を増やす活動を始めた。その活動は次第に地域で知られるようになり、新聞の取材を受けたことで会員も増えた。月一の例会はいわば井戸端会議のような効用もあり、専門家の助言とは異なる、個別具体的な不登校の経験や知識を共有することができたという。一方で、学校に復学すれば不登校は解決したという考えがまだまだ根強く、自分の子が登校し始めると会から去っていく人も多かった。しかし、一旦登校しても高校や大学受験で子どもが不登校状態に戻るケースも少なくなく、学校に戻れば不登校問題は解決というのではないことが露わになってきたと綴っている。このことについてBさんは、「現在の日本社会は競争原理に基づく経済競争の社会です。高速道路を突っ走るような生活が強いられる社会です。そこへもう一度戻ったとき、再びストレスを溜め込むのは必然です。自分に合った生き方の模索こそ、この不登校の時期に大切にされなければならないことだったのです[*7]」として、「小道を歩く生き方」の模索を子どもと一緒に続けるべきという。「小道を歩く生き方」は一人の力で切りひらくことはできない、仲間が増えれば小道はもっと歩きやすくなると述べて、文章を締めくくっている。不登校問題は、単なる子どもの問題としてだけではなく、現代の加速化する逃げ場のない競争社会の問題として捉えられていたのである。

不登校の子どもの親たちは、不登校を社会全体の問題と捉える視座を持つようになっていた。専門家の知のディスクールから離れて、「親の会」などの活動のなかで、不登校を社会的逸脱現象としてではなく、競争原理に支配された社会から逃れる生き方として積極的に評価する枠組みを形成していったのである。それは子どもの不登校をきっかけにして、競争社会の一員であった親たちが自らの生き方に疑問を持ち内省する、言い換えれば、クリティカルな視点を持つようになり、子どもと一緒に歩むなかで、これまでと異なる新たな価値観を培っていくプロセスでもあった。仲間を増やすことで、様々な困難に対処していったのである。

当時、不登校によって母親が親族や世間から責められるケースは珍しくなかった。子どもの育て方が悪かったからと自責感、孤独感に苛まれて、夫や親族との関係に亀裂が入り、近所とも疎遠になり、社会的に孤立する母親もいた。別の投稿者Cさんは、子どもが不登校になったとき、夫の理解、そして同じ悩みを持つ仲間と出会い苦しみを分かち合うことが救いになったという。「一番ありがたかったのは、夫の理解があったこと、家族に理解してもらえなかったら、本当につらかったと思います。さらに、同じ体験をしている母親が中心になって、経験交流の場を持つことができるようになったのも大きなエネルギー源です*8」とその切実な想いを綴っている。子どもの不登校で母親も安心できる居場所を失っていたため、新たな居場所をつくることは希望となった。「“子どもの居場所”づくりや、その運営にかかわり、毎日忙しく過ごしていると、世間の目を気にかけている暇がありません。毎月の親の会、キャンプ、忘年会、運営資金づくりのための活動、ミニ集会や講演会など。いま、子どもの生活と居場所をどう支えるかで想いはいっぱい。苦しいことも多いけれど、前へ進むしかないような気がしています。子どもたちとともに*9」と述べている。このように、学校外の子どもの居場所をつくることは、そのまま母親自身の尊厳が保たれる居場所をつくることにもなっていた。その中で、子どもが自立して生きていくことが模索されるが、それは親である自分自身の生き方を模索して確立していくことでもあった。不登校とは、加速化する競争社会に埋没していた親の生き方を一変させる出来事でもあった。

ここで、私自身の経験も綴ってみたい。私は不登校の歴史を研究する立場であるが、同時に不登校の当事者でもあった。私が学校に行けなくなったのは今から35年前の1988年だった。その頃私は、小学5年生で、それまでの人間関係は少しずつだが希薄になり、不登校をしはじめてから3年ほどたつと地元には一人も同年代の友達がいない状態になった。その代わり、これまで身近にいた人との関係は劇的に変わり、濃密になった。周りの大人たちにとって、どうやって不登校の私と関係をもつべきか、至極難しいことだっただろう。家族、親戚といった、学校にいけない奇妙な存在になった私と嫌でもかかわりを持たざるを得ない人たちは、困惑しながらも捨て置くことができない私との関係を否応なしに変えていった。そして最も身近な人たちにとっては、社会とのかかわり方も大きく変わってしまった。日本社会にとって不登校とはそういう経験を本人にも周囲にももたらすドラスティックな出来事である。私が不登校になることで社会とのかかわり方を根本から変えざるを得なかった最初の人は母親だった。母親は、新聞の片隅にあった「不登校を考える会」の講演会の小さな記事をみつけて、藁をもつかむ思いで、私を連れて会場に出かけた。私は会場の近くにあるスーパーで待っていることがほとんどだった。母親はいつも講演会の内容を私に堰を切ったように喋っていた。母親は、自分を変えてくれる学びの渦中にいたのだろうか。当時、私の地元には、不登校の親の会などなかったので、母親が知り合いと一緒に親の会をつくり、地道に活動を続けているうちに、参加者がひとり、ふたりと増えていった。母親も不安だったのだろう。表立って、私を責めることはしなかったが、頻繁に友達に会いに行って、私が待ちくたびれてうとうとしてしまうほど長いあいだ友達とのお喋りに夢中になっていた。

当時は、近所の不登校の子どもや親に対するまわりの視線はひどく冷たいものだった。なかには善意で、病院に行くよう勧めてくる友達もいた。どれも無理解によるものだった。

地元の教育委員会主催の講演会に母親が参加したときの話。県か市か記憶が定かではないが、教育委員長が不登校について講演していたが、その内容の本筋は、不登校の原因が母親にあると強調するものだった。母親は会場で小さくなっていたが、質疑応答で、母親の友達が「不登校の子の親を知っているが、そんなあなたのいうような変な親じゃないし、お子さんも普通の子だ」と反論してくれた。母親は会場に友達がいるとは露も知らなかった。そのあと母親も発言し、教育委員長は言いたい放題していたことに動揺し、黙ってしまった。しかも、私の母親とその教育委員長は面識があった。私は地元の中学ではなく、そこから離れた中学に越境入学した。そのとき、母親は教育委員会の面接を受けることになり、その面接時にいたのがその教育委員長だった。私の母親を思い描いていたのかはわからないが、威勢よく熱弁をふるっていた教育委員長は、母親やその友達の言葉のまえで小さくなっていた。私が不登校をした当時は、まだ、不登校の原因を母親の子育ての失敗にみることが多かった。教育委員長も当事者やその母親とむきあわずに、一般に流布していた言説をなぞっていたたけにすぎなかった。そんな状況で、小さな町でできた不登校の親の会の活動は、その輪を少しずつ広げていった。

不登校になったことで、私は、それまでの学校や近所の人々との関係を失った。それでも不思議と孤独感は感じなかった。それは学校にいっていたらかかわることはなかっただろう人たちのおかげだ。母親の友達の町議会議員の紹介で、獣医のDさんを紹介された。そのDさんは、祖父のように感じられて、頻繁にDさんの家に遊びに行った。Dさんは東京帝国大学農学部を卒業されていて博覧強記で、また、いろいろな社会問題にも関心が高く、反核運動にも関わっていたことから、私自身も社会問題に関心を持つようになった。Dさんから日本政治の問題や戦争中の話、生物にいたるまで森羅万象にわたる事柄を教えてもらった。私はこの頃から、政治や社会に対する関心が高まり、いずれ哲学への関心へと深まっていき、文学や社会学などなど紆余曲折を経て、歴史学に着地した。また、親の会を通じて、元教師の人と知り合い、学校の勉強を教えてもらった。不登校の友達もできて、地域を超えたつながりができた。親の会は各地で自然に展開していったので、全国規模のネットワークを通じて情報を得ることや、元教師や専門家を講師に呼ぶことで専門的な知見や様々な不登校の経験を共有する場としての役割をはたしていた。不登校の経験を通じて、年齢も、生きた時代背景もそれぞれ異なる人々の知己を得たのである。それらの人々とのつながりの一部はいまも続いているが、過去になっているものもある。それでも私はしばしば、その人々のことを思い出す。思い出すたびに、名前も忘れていた人々との濃密な関わりが私に生きる力を授けてくれたのだと思う。そのときの私は自分の気持ちや自分が陥っている状況について語る言葉を持っていなかったが、それらの人々との関わりのなかで言葉をみつけ、自分や世界についての見方を養ってきたのだと思う。不登校という体験は、私にとってはギフトであり、学校の外側にも別の世界があることを教えてくれた。そのため、いま振り返るとその経験は決してネガティブなものではない。そもそも不登校をしていなければ学問の道を歩んではいなかっただろう。

私自身の経験は、1990年代の不登校の運動とリンクしていて、一つの事例研究の対象にもなる。この事例からは、行政に頼らなくとも学校外の居場所をつくるリソースがこの社会に存在していたことを示している。「親の会」などの運動によっては、学校の外側には居場所を創造し、学校では出会うことのできない人々との関わりや世界が広がっていたのである。不登校支援を行った人たちの多くは団塊の世代で、支援者のなかには教師や精神科医が多く、かつて彼らは自律・自治を掲げて社会や大学当局などと文字通り闘った人たちもいて、既存の学校教育にとらわれていなかった*[10]。そうした社会運動の経験も、学校外の居場所、学びの場づくりのための連帯、協同の紐帯となったのではないかと個人的には思う。既存の公教育制度からの撤退が個人単位ではきわめて困難であったからこそ、そこに連帯や協同が生まれる必然性があったのだろう。1990年代の不登校をめぐる運動は、専門家でもない、普通の名もなき人たちが連帯、協同して、学校化社会からの撤退を試みた貴重な実践例だといえる。

おわりに

戦後日本において、不登校という現象は、個々人にとっての挫折と痛苦、孤立の経験でありながらも、その経験を出発点として社会に共同性を生み出し既存の学校制度の外側にオルタナティブな居場所と学びの場を創造する出来事でもあった。いまだ課題は山積みではあるが、1990年代に比べて国からの不登校支援が充実している現在、不登校経験から紡ぎ出される共同性はかつてのような瑞々しいほどの創造的体験ではなくなっているかもしれない。しかしながら、歴史的な見地からみれば、戦後日本の不登校をめぐる歴史からは、無視できない価値、希望が見出せる。不登校という現象には、国家、市場、家族といった既存の社会制度の枠組みのなかで一方的に国民として再生産されるのではなく、それらには還元できない生のあり処にたどりついて、これまでの社会的関係を断ち切り、新たなつながりを、生を構成している外在的な諸条件を選び直す創造的な営為をみることができる。そして、学校化社会の変革は、年端もいかない無力な子どもたちの、「学校に行かない」という無秩序性・不条理性に満ちた小さな撤退がもたらしたということ、このことは刮目すべきことではないだろうか。

ただし、それらの小さな撤退の多くは、喜びに満ち溢れたものでも、勝利に彩られたものでもなかっただろう。繰り返し述べてきたように、歴史的に不登校は、子どもたちにとっての挫折であり、時には生死にも関わるような痛苦の経験であった。しかし、それらの挫折が生死に関わるほどのものであったからこそ、当事者だけでなく家族や支援者を巻き込み、生き残るために、存在するために、新たな生き方を模索せざるを得ないという切迫した生存の危機感が共有された。そのことが、創造的で変革的な営みにつながったのではないか。それは、もはや「主体的で自由な選択」などではなく、挫折したとしても、なおもこの社会に存在するために居場所を創造せざるを得なかったというべきものだろう。不登校という、個々の子どもによる不条理性・無秩序性に満ちた小さな撤退が、いまもなお続くオルタナティブな学びの場の創造という大きな撤退の運動を駆動させたことは、歴史学を生業とする私にとって驚嘆すべき出来事にみえる。ひとりひとりの行動としては、けっして主体的な選択とはいえない無秩序性・不条理性、挫折や欠乏に満ちたものであったとしても、それらが互いに関わっていくなかで、ひとりひとりが語る言葉を持ち始める。そして、既存の社会制度には還元できない生のあり処にたどり着き、いずれはうねりとなって、そのうねりが社会を変えていく。その希望が、不登校の歴史に見出せるからである。

そして、その歴史からいえることは、社会制度を変革しうるうねり、「生のスタイルの転換」を可能にするムーヴメントを生み出すために、ひとりひとりの挫折や痛苦の経験を出発点とし、その経験を共有して互いに語る言葉をみつけながら生のあり処を探ることができる、そのようなオルタナティブな学びの場や居場所の存在がいかに重要かである。現在の日本社会では、そのような場所のほとんどは、不登校やひきこもりなどを経験する人々を対象としている。しかし、「失われた30年」を経て、既存の社会制度が綻び様々な社会問題が噴出している現在、不登校やひきこもりなどの状態でなくとも、挫折や敗北の経験、そこから認識される欠乏は社会の多数の人々がもっているはずである。それにもかかわらず、自立的でタフな人間が良しとされる社会のなかでは、そうした挫折や痛苦、欠乏を語る言葉を持つことは容易くないのが現状である。だからこそ、社会の多数の人々が抱えている自己・他者や社会に関する挫折や痛苦の経験をも共有しながら、互いに語る言葉をみつけながら共同性を生み出し、生のあり処を探ることができる、そのような場所がいま求められるのではないだろうか。「山岳新校」や「みちのり」の試みを通じて、いずれそうした場所を社会の至るところに生み出すことができればと思っている。

最後に、もうひとつ述べておきたいことがある。それは、個々人が自らの挫折や痛苦の経験と向き合うという営みそのものがもつ、より大きな可能性についてである。私は日本近現代史を専門としているが、近代日本の歴史学、思想史学を専門とする多くの知識人が、戦後の日本社会では多くの人々が挫折や敗北、痛苦の経験を自らに刻み込むことができてこなかった／できていないことを指摘している*[11]。また、日本社会での多くの人々は、戦争に敗れたものの、いったんは奇跡的な戦後復興、経済成長を達成したことで、「失われた30年」を経てもいまだに経済成長に対する幻想を抱き、現実を直視しようとしていないことも指摘されている。このことは、現代日本において、これまでの社会システムが行き詰まり破綻に向かっていてもなお人々が撤退できないことと深く関わっているのではないか。つまり、撤退できない、しようとしないのは、挫折や敗北を脱構築する思考や精神によるといえるのではないか。このことをふまえ、私は、戦後日本社会が短期的な繁栄の対価として捨ててきたような、挫折や敗北、痛苦を記憶し歴史化しようとする思考・知性こそ、「撤退的に生きる」ために必要ではないかと考えている。もちろん、そうした思考・知性は簡単に育まれるものではないだろうし、個人の経験における挫折や敗北と、社会全体としての挫折や敗北はレベルが違うかもしれない。しかし、ひとりひとりが自らの生にまつわる挫折や痛苦と向き合い、受け止めて語る言葉をみつけて他者と共に動き出すという営みは、社会全体での挫折や敗北を受け止め歴史化する知性を鍛えるために不可欠なプロセスではないかとも思うのである。

私が歴史学に可能性を感じるのは、歴史の狡知は、安直な楽観や希望を拒絶するものだからである。かつて私の師匠が歴史学とは何か、どういう構えが必要なのかを教えてくれたときに、引き合いに出したのが歴史学者である石母田正の、以下の言葉である。

> 本書（『中世的世界の形成』）の末尾にはペシミスティックなるものがあるが、このペシミスティックをつきぬけないオプティミズムは、私は信頼しかねるものがあったのである。日本人の歴史にたいする啓蒙主義的オプティミズムを私も人に劣らずもっている。しかし、歴史の痛苦を忘れたところに

成立するオプティミズムは、私の真に求めているオプティミズムではない。
*12

石母田にとって敗戦は、自己が信じていた世界が、価値体系が一挙に崩壊する経験であった。絶望的な状況だからこそ、むしろ果敢に生きようとする力、強靭なオプティミズムが石母田には漲ってきたのである。それはまさに「歴史の痛苦」の賜物としかいいようのない何かである。だからこそ、私たちは挫折や痛苦の経験と向き合わなければならないのではないか。歴史の痛苦に耐えられないオプティミズムは、状況次第で簡単にペシミズムやニヒリズムに転化してしまう。「加速する社会」への埋没に抗える「撤退的知性」を考えるとき、こうした認識（構え）を経由する必要があるのではないだろうか。この点については、また別稿で改めたい。

【脚注】

＊1　斉藤環（1989）「思春期・青年期に発症し遷延化した無気力状態に関する研究」筑波大学医学博士論文.

＊2　稲村博（1982, 3）「現代の国民病―新症候群」『現代の眼』, 第二三巻第三号.

＊3　登校拒否を考える緊急集会実行委員会（1989）『「登校拒否」とは』悠久書房, p77.

＊4　同前, p77.

＊5　『こみゆんと』編集室編（1997, 12）『こみゆんと』あゆみ出版, NO.37, p38.

＊6　同前, p41.

＊7　同前, p15.

＊8　同前, p25.

＊9　同前, p25.

＊10　周知の通り、これらの学生運動はセクト間の内ゲバにより急速に退潮していった「敗北した革命」として歴史に刻まれている。このように、学校からの自由、国家からの自由は、かつて挫折・敗北を共有した人たちが支えた運動であることに留意しなければならない。

＊11　たとえば、鶴見俊輔は「転向」に日本人の「一番病」の病理的兆候をみて、戦前・戦後にイデオロギーは変わっても、日本人は樽の中での競争システムで一番を競い合っている点で変わらないと指摘した。つねに時流（樽の変化）にあわせて転向していく芯のない日本人が、第二次世界大戦の痛苦を自らのからだに刻み込み、二度目の敗戦を免れることが、鶴見の思想上の課題だったのである。こうした転向論を批判して、笠井潔は、30年代の左翼モダニズムにみられる行動的ニヒリズムの日本的なるものへの回帰は、日本がまさに第一次世界大戦でヨーロッパが経験したような陰惨な大量死の経験を経なかったがゆえの底の浅さに起因しており、その実体を欠いた気分としてのニヒリズムが大量転向の素地となったと分析している。ヨーロッパでは総力戦という悲劇がニヒリズムの背景にあったが、第一次大戦後に景気に浮かれた日本では、その悲劇は、「気分」として消費したにすぎず、その欠如を決定的に欠いた空虚な主体性ゆえに安易に大衆や天皇制といった日本的なるものに躓かざるを得なかったという笠井の見解は拝聴に値する。敗北が総括されないままの大衆消費社会の狂騒のなかで、ポストモダニズムの経験も「歴史の痛苦」とならず、むしろ日本の無構築性の思想風土に抱合されてきたといえる。

＊12　石母田正（1989）「「国民のための歴史学」おぼえがき」『石母田正著作集　第一四巻』岩波書店, p358-359.

【参考文献】

● 内田樹編（2022）『撤退論――歴史のパラダイム転換にむけて』晶文社.

● 奥地圭子（2019）『明るい不登校――創造性は「学校」外でひらく』NHK出版.

● 笠井潔・絓秀美（2022）『対論　一九六八』集英社.

● 鶴見俊輔、関川夏央（2015）『日本人は何を捨ててきたのか』筑摩書房.

● 林尚之・梅田直美編（2017）『OMUPブックレットNO.59――自由と人権：社会問題の歴史からみる』大阪公立大学共同出版会.

● 堀田新五郎（2021）「撤退学宣言Ⅰ（問題編）――ホモ・サピエンスよ、その名に値するまであと一歩だ」奈良県立大学研究季報, 第31巻第4号.

● 吉本隆明（1990）『マチウ書試論・転向論』講談社.

● 全国不登校新聞社編（2018）「不登校五〇年　証言プロジェクト――半世紀にわたる「問題」を、いま問い直す」全国不登校新聞社.

不登校の歴史と撤退

7 撤退的に生きるために
——オルタナティブな学びの場の可能性

【対談】林尚之×梅田直美

撤退を不可能にしている「忘却の空気」

この度、山岳新校のプロジェクトのひとつとして、学びのコミュニティ「みちのり」をスタートさせることができました。「みちのり」は撤退的に生きる術を探ることをひとつの目標としています。では、撤退的に生きる術を探るうえで、学びの場をつくることにどんな可能性があるでしょうか。このことをテーマに、「みちのり」スタッフの二人が語り合います。

梅田　はじめに、撤退学と「みちのり」の構想の出発点になっている、お互いの問題意識について話したいと思います。私の場合は、エッセイ（「撤退的に生きること、創造的に生きること」梅田直美）にも書いていますが、社会システムに適合的な生き方、たとえば、学校では必死で受験や就職のために勉強して、就職したら定年まで必死で働き続けるというライフコースから外れるのが、なぜいまだにこんなに難しいのか、という問いがベースになっています。

林　確かに、いつも問題にされるのは、社会での規範的なライフコースから外れてしまう人が出てくるのはなぜなのか、どうしたら外れた人を元に戻せるのか、ということばかりで、なぜ外れるのが難しいのか、というのは問われませんね。

梅田　そうなんです。日本でも社会システムが綻びていろんな問題を引き起こしていて、いろんな人がそれを指摘していますよね。それなのに、その綻びだらけの社会システムに、自分の生き方を無理やり合わせようとして、しんどい思いをしている人がたくさんいる。それでも、そういう人がたくさんいるからシステムがおかしい、システムを見直そうというのではなく、システムに適合するように人の意識、状態や生き方のほうを治そうとするのが今の社会だと思います。

林　不登校でもひきこもりでも、しんどいと思う人のほうが弱くてダメなんだから、厳しい理不尽なことに耐えてでも、社会に適応できるように訓練する、というのがまだまだ多いですね。

梅田　しんどいから外れようとしているのに、元の同じような生活に戻っても、同じことの繰り返しです。それに、しんどくて体調を崩しても、規範的なライフコースから外れるのはもっと辛いと思ってしまって、限界まで我慢してしまう人も少なくないです。だから、過労やうつの人が増える一方で。そういう社会がおかしいと思うので、何とかならないかと思ったのが、私が撤退学での自分の研究や「みちのり」を構想した出発点です。林さんはどうですか？

林　私の場合は、日本近現代史が専門なので、歴史的な観点から、なぜ日本で撤退が難しいのかを考えて、その問題に対応する術を探りたいと思っています。特に問題だと思うのは、戦後の日本では常に「忘却の空気」ともいえるような、都合の悪いことを忘れていこうとする空気が漂ってきたと思いますし、いまもそれが変わっていないことです。これも、エッセイ（「不登校の歴史と撤退」林尚之）の最後のほうで少し書いていますが、日本では都合が悪い出来事、現実を社会で記憶、共有して向き合っていく土壌があまりなく、どんどん忘れていこうとする。そのことが、いろんな面で撤退を難しくしている要因ではないかと思っています。

梅田　不都合な過去の出来事を忘れてしまうから、過去から学べていない、ということでしょうか。

林　わかりやすく言うと、そういうことです。だから、自分たちの社会はそんなに失敗しない、何があっても大丈夫だと思いがちで、いろんな神話をもってしまいます。経済成長神話はまさにそうですね。もちろん、こういうことは、私が独自に考えたというよりも、戦後の知識人がこぞって指摘していることをふまえています。たとえば、鶴見俊輔は、戦後日本はちゃんと敗北力を養えなかったと指摘しています。

梅田　その問題は、撤退学の核心部分にかかわりそうですね。『撤退論』（内田樹編，晶文社）でもいろんな角度で指摘されていますけど、なぜ、いまだに経済成長の時と同じような感覚をもってしまって、経済活性化を連発するのか、と思いますよね。既に論じ尽くされてきたようにも思いますが、オリンピックとか、コロナ禍での政策などをみていると、何も変わっていないなと、無力感がすごいです。

林　日本の衰退が論じられるようになってから、かなり経っていますよね。それなのに、経済成長の成功経験にしがみついてしまって、なかなか現実を受け入れられません。最近特に、その傾向が加速化している気がします。少子高齢化とか、格差拡大とかで、国際的にも課題先進国といわれて、山のように課題が出てきています。今までのシステムを転換しないといけないと、かなりたくさんの人が警鐘を鳴らしているのに、今までのシステムを続けるのに必死です。堀田先生が『撤退論』（「撤退は知性の証である――撤退学の試み」）で書いておられるように、「アベノミクス」「原子力安全」「プライマリーバランス黒字化」「経済成長」「地方創生」「新しい資本主義」といった空疎な題目を流通させてきた。「ウィズコロナ」もそうで、これは、日本の場合、パンデミックのなかで出てきた経済システム存続の神話的言説だと言えると思います。

梅田　本当にそうですね。同じ「ウィズコロナ」でも、日本で政策として唱えられる「ウィズコロナ」は、ヨーロッパなどの社会保障が充実した国のとはずいぶん違っていますよね。

林　はい。これも、既に論じられていることですが、日本での「ウィズコロナ」政策は、中身としては、資本主義の論理が感染症対策の原則である検査と隔離のどちらも骨抜きにしつつあるだけにみえます。それに、生物学上の弱者の死を、社会経済活動の代償として容認しようとしているようにもみえますね。

梅田　コロナの問題のひとつは、社会の分断、たとえば若者と高齢者、健康で体力のある人と基礎疾患があって弱っている人、などの分断を招いてしまうことですよね。元気な人では数日寝込むだけで社会復帰できる場合が多いですけど、高齢者や基礎疾患持ちの人にとっては生死を分けることなので。

林　ただ、本来は、その分断の壁はそんなに厚くはないはずです。若者でも後遺症の割合がインフルエンザよりも高く、健康を損ねるリスクがあります。それに、高齢者や基礎疾患で弱っている人の生命や健康を守ることと、社会活動を活性化させることが、まるで、両立しないことを前提としているような議論や政策がとられているように思いますが、そんなことはないはずです。

梅田　ほんとうにそうだと思います。お互いにきちんと感染対策をして、もし感染リスクがあったり体調が悪ければすぐ検査が受けられて、感染したらちゃんと休んで療養したり治療が受けられる。その環境が整ってこそ、あらゆる世代の、あらゆる層の人が安心して社会活動ができるようになる。なぜ、その方向に舵がきられないのかが不思議で仕方ありません。

林　社会で大事にすべきことが何なのかが十分に議論、共有されないまま、人間が幸福になるための手段であるはずの経済活性化が最重要課題になって、いろんな物事が動いていますね。日本では、災害級の非常時ですら、個人と社会の自助努力に任せて、国家が国民の生命と財産を守るという最低限の役割を果たしてきませんでした。そこに問題の本質があるんじゃないでしょうか。いまの経済重視の世論と、感染症対策重視の世論の対立という、コロナをめぐる社会的分断も、政府の初期対応に原因があると思います。いまは「ウィズコロナ」政策は、さらに形骸化して、感染症対策の全面解除へむかっています。もし多少の経済活性化につながったとしても、それが意味するのは生命の軽視です。こういう重大な決断が、「もう、いいだろう」という空気のなかで、無自覚に、なし崩し的に行われているのが問題だと思います。

梅田　そういう現象は、コロナだけでなく、いろいろな領域でみられますね。福島の原発事故とか。

林　原発事故は、「安全神話」を前提とした原発政策を見直す転機でもあったはずなんですが、いつのまにか、関わりが深かった人を除いて、記憶が薄れてきているのではないでしょうか。原発政策が、3.11以前の政策に回帰しているのをみると、そう思わざるを得ません。

梅田　「安全神話」への回帰ですね。

林　しかも、その回帰のプロセスで、国民的な議論が行われた形跡がありません。漠然とした空気で、いまの時勢になっている。山本七平の「空気の支配」でこうした現象を説明することもできますが、問題にすべきことは、私たちは、いつも簡単に社会の忘却の空気に無防備に染まってしまうのだけれど、それがなぜなのか？ということだと思います。このことが、日本社会で撤退が困難な要因のひとつではないかと思うんです。

梅田　先ほど言っていたことですね。

林　忘却していくというのは、一種の自己防衛反応だとは思うのですが、国によっては、戦争などで起きた悲劇を歴史の記憶として社会に埋め込んで成功した国もあります。けど、日本はそうではなくて、忘れていく。悲劇が歴史化されない空気があるんです。3.11での放射能汚染もそうです。私が住んでいた栃木でも、最初は自治体がコメの汚染などを調べて情報発信していましたが、2、3年で何もしなくなりました。放射能汚染に関しては何もいわなくなって、その代わり、いわれるようになったのが風評被害です。風評被害にどう対策して、被災地付近の経済を立て直していくのかが焦点になりました。

梅田　3.11直後は、放射能汚染がとても問題化されていましたよね。その現実は変わっていないのに、社会で忘れていこうとしている空気があって。そのうち、放射能汚染に関する発言をすると、まだ言っているのか、そういうことだから、被災者がいつまでも先に進めないんだ、という論調がありました。問題な現実は何も解決していないのに、空気を換えようと。あきらめるか、気持ちを切り替えるのが良いと思っているふしがあります。そう考えると、忘却の空気は、いたるところに広がっている気がします。しかも、そういう、忘却の空気についていけない人、おかしいと思う人が、ずっと問題を追求したり行動を起こそうとしたり、忘却の空気に違和感をあらわしたりすると、そちらがおかしいといわれますよね。原発やコロナのリスクもそうで、問題は解決されていなくても、だんだん皆そのことを口にしにくくなっていく。

林　それこそ、空気ですね。こういう忘却の空気があることが、日本社会では悲劇や不都合な現実をどんどん忘れていき、向き合わず、神話を信じて楽観的に進み続ける、つまり、撤退を不可能にしている要因のひとつだと思います。言い換えると、悲劇とか、敗北とか挫折とかいった不都合な現実を忘れず記憶して、受け止める。向き合う。そのうえで希望を見出そうとする。そういう知性が、撤退的知性といえるのではないかと思っています。

梅田　それはすごく重くて、難しいことですね。だから、なかなか撤退できないのかも。エッセイで書いていた、石母田正さんの言葉ですね。この言葉は、ぐっときました。「歴史の痛苦を忘れたところに成立するオプティミズムは、私の真に求めているオプティミズムではない」。歴史の痛苦を引き受けたうえで希望を見出す、それが、林さんの考える撤退的知性なんですね。

自ら語る言葉を探す

梅田　では、お互いの問題意識がわかったところで、次は、その対応として私たちに何ができそうか、特に、「みちのり」がどういう場所になったらいいかにつなげるかたちで話ができればと思います。いま話してきた忘却の空気は、確かに撤退できない重要な要因だと思います。この空気にのみ込まれず、撤退的な知性をもつようになるために、撤退的に生きるために、どうしたらいいか考えてみたいです。林さんは、そのためにもオルタナティブな学びの場が重要だと考えているんですよね。

林　はい。実は、そもそも、そういう忘却の空気についていけない、皆で前向きに、嫌なことは忘れて楽観的になろう、という空気についていけない人が、不登校やひきこもりになることがあるんですよね。私自身も不登校経験があって、その時はそうでした。そういう人は、いまの社会では、無条件に明るくノリがよくはなれないから、空気を重くしてしまって、自分も周りの人も気まずくなっていくことがあります。

梅田　それ、よくわかります。学生たちもよくそういう話をしています。友達といるときに、社会問題のこと、政治のこと、人生のことなど、真面目に物事を考えて口にするだけで、シーンと静まり返って会話が続かなくなってしまう。そういうのが続くと、そのうち「普通じゃない」と敬遠されるようになる。だから、なかなか言えないんですよね。自分のこと、社会のことをちゃんと語れなくて、ノリや空気に合わせるしかないんです。だから、ゼミでは気兼ねなく、社会のことも、自分の辛さや弱さ、生き死ににかかわることも、なんでも話ができることを喜ぶ人も多いです。大学のようなところしか、なかなか無いんですよね、そういう場所が。

林　家族とか親友とか、かなり親しい人なら話せるという人もいるでしょうけど、逆に、親しい、近しい人には余計に話せないという人もいますからね。

梅田　そうなんです。サードプレイスっていう言葉も流行っていますし、子どもだったら「学校でも家庭でもない第三の居場所」が重要というのも、家族や学校の先生や友達とは違う人たちとのつながりが大事だからですよね。でも、実際は、そういう場所も結局は同じなんですよね。明るく、楽しめる空気が重要で。空気を重くすると、気まずくて、そのうち行けなくなるのは同じです。そういう意味では、私はオルタナティブな学びの場の研究をしていますけど、ひきこもりとか不登校の人が集まるような居場所とか、フリースクールは、空気が全然違いますね。

林　私も、不登校やひきこもりの人が集まるような、居場所とかオルタナティブスクール、そこに大きなヒントがあるなと、いつも思うんです。エッセイで書いたこととつながるんですが、フリースクールやオルタナティブスクールは、自ずと、そういう知性を育むような特徴をもっているところがあります。自分の苦しさ、弱さ、挫折や敗北の経験を、空気を重くしないように隠したり忘れたりするのではなくて、自ら語る言葉を探しながら、誰かと共有できます。これは、子どもだけでなく、大人になってからも必要なことだと思います。不登校とか、ひきこもりとか、そういうカテゴリーで言い表されるような状態でなくても、いわゆる「普通」に社会で生きている人にとっても、こういう場所があるといいのではないかと。「みちのり」の参加者のなかにも、「これまで出来なかったような重い話が、初めて会った人とできた」ことに驚いてくれている人がいました。子どもも大人も、社会の多くの場所が、個人的なことにしても社会的なことにしても、重い、真面目な話を避ける傾向にありますが、そういう話をとことん出来る場所が必要なのではないかと思います。

梅田　「みちのり」の他の参加者の人で、みちのりに参加したことで、余計に考え込むようになった、という人もいましたね。それでも参加してよかったと言ってくれています。それと、しんどい、苦しい経験や気持ちを他の人が語るのを聞いて、自分だけではないんだと力づけられた、ということも言ってくれました。あと、逆に、自分の辛い話や、自分の弱さを思い切って口にすることで、周りの人が共感したり、救われたと言ってくれることに驚いた、という人もいました。少し違うかもしれませんが、普段から自分は人と違う価値観を持っていると思っていて、その価値観を表明すると変な反応が返ってくるので口に出せなかった。けれど、

「みちのり」に参加してから、口にしてみようと思うようになった、という人もいました。

林　それに、普段から社会の問題などをいろいろ議論したいけれど、なかなか議論する場所も相手もなく、「みちのり」ではそれが出来ると期待してくれた人もいますね。本来は、個人的なことでも社会に関することでも、たとえ重くても、真面目な話をちゃんとする必要があるときは、社会のいろんな場面で出来るべきなのだと思いますが、社会全体をすぐそういうふうにするのは無理ですよね。だから、せめて、そういう場所やコミュニティが増えていけばよいと思います。

大事にしたい価値は何なのかを、議論・共有する

梅田　個人的なことは社会的なこと、政治的なこと。つながっているので、自分の経験や価値観を軸にしながらお互いの話をしたり、そこから社会のいろいろなことを話す。それが、無理なく自然にできたらいいですね。ただ、それもまた、強い人でないと出来ないんじゃないか、自分にはそんな話できない、ハードルが高いという人もいますよね。大学のゼミでも、自分の問題意識や関心のあることを話すとなると、ものすごく構えて悩んでしまって、さっぱりわからない、話せない、という人も少なくないです。確かに、さあ、今からお互いの問題意識について話そう、経験について話そう、というのは、なかなかハードル高そうですね。

林　オルタナティブな居場所や学びの場では、そういう、無理に何かをする空気がないところも多いです。私のよく知っているところでも、「ありのまま」でいることを大事にしています。先ほども少し言いましたけど、不登校やひきこもりの人のなかには、「そうしよう」「そうしたい」という主体的な意志や、「そうしなければならない」という強制的なことで何かをしているというよりも、ただ「そうある」「そうあってしまう」という、存在としてそう在る、という人も少なくないので。その部分を大事にしています。

梅田　存在っていうのがぴったりきますね。以前、オルタナティブな学びの場に関する調査で、スタッフの方とお話しているとき、「be」とか「無意味」っていうことにこだわっておられるという話がありました。

林　たぶん、脱構築というか。社会のいろいろなしがらみで意味づけされ過ぎている状態から無意味化することで解放されて、その地点からこそ、また出発できるっていうことなんじゃないでしょうか。

梅田　それ、よくわかります。ただ、さっきの忘却の空気の話に戻りますけど、日本の場合は、無意味化するという名目で、解放されるだけ解放されて、現実をみない、現実から逃避する、という状態もよくあるような気がするんですが、どうでしょうか。そういうのは撤退的知性とはいえないような気がするんです。

林　それはありますね。もともと、日本人は、現実から意味を脱構築するのがうまかったんじゃないでしょうか、伝統的に。ただ、オルタナティブスクール、フリースクールで大事にしている「無意味」や「ありのまま」というのは、そういうのとは違うと思います。現実をみない、というのではなくて、むしろ現実を素直に、ありのままにみつめるというか。それで、それまで居た場所ではどこにも自分が語る言葉がなかったけど、フリースクールや居場所は、ゆっくりと語る言葉をみつけて、自分のペースで自然に対話していく。そういうところが多いと思います。「みちのり」も、そういう自然な感じがいいのではないかと思うんです。お互い、さあ語りましょう、というよりも、自然に語る場や機会ができていく、というような。もちろん、時間はかかりそうですが。

梅田　私もそういう継続性のあるコミュニティが出来ればいいなと思っています。もちろん、一期だけ、関心のあるプログラムに参加だけでも、その時にいろいろお互い得ることが多いと思いますが、そうでなくて持続的にかかわって一緒に学んだり対話していこうと思ってくれる人たちがいてくれれば、嬉しいですね。そういう、じっくりと時間をかけての持続的な関係と、単発の偶発的な出会いとが重なっていって、面白いプログラムで楽しみながら、また、時には重たい辛い経験や、社会の課題なんかを話したり議論しながら、やっていけたらいいなと思っています。あと、これは海外の事例ですが、フォルケホイスコーレはとても大事な、学ぶべきエッセンスが詰まっていますね。日本でも少しずつフォルケホイスコーレのような学びの場をつくる動きがあります。自分のエッセイでも書きましたが、デンマークやスウェーデンなど北欧の教育はよく授業でも取り上げますが、個人的に、社会で大事にすべき価値をしっかり議論して共有しようとするところが、とても良いなと思っています。デンマークのフォルケホイスコーレも、もともとはグルンドヴィのキリスト教精神にもとづき、公教育の外側につくられた学びの場ですから、「生きた言葉」での対話を重視するという理念のほかにも、ベースになる価値がしっかりあります。そういう、ベースに、大事にする価値がしっかりあって、そのうえで対話を重視するというのが、重要だと思っています。

林　そういう、価値について議論できる場所や機会が、日本は、あまりありませんよね。だからこそ、大事にすべき価値とは何なのか、しっかり議論、共有される学びの場は重要だと思います。現実への対処の仕方が、日本は歴史的に特異な点があって、現実を受け止めきれないから、相対化するという。物事を俯瞰して、傍観的にどの立場にも経たず、事象をフラットにして、どれがコスパがいいかをみるっていうのが受けています。そもそも、コミットしようとする価値が、ないというか、わからない人が多いように思います。

梅田　確かに。いろんなことに対処していく時に、何らかの価値を大事にして貫徹するというより、ひとつひとつ意味を切り離して考えようとする。価値を貫徹するというのが、得意じゃない人が多いということでしょうか。相対主義というか。価値といっても、「多様な価値観の尊重」という言葉が最近はあふれかえっていて、それはもちろん重要なことですが、価値相対主義に陥って、結局、何が守るべき、普遍的な価値なのかを議論したり、共有しにくくなっていますよね。

林　そこが重要な問題だと思います。価値といっても、個々人の価値観とかそういうレベルのものではなくて、人類の歴史が培ってきた価値を学び、論じることが必要だと思います。仏教、イスラム教、キリスト教、ユダヤ教、神道などの宗教はひとつの価値の体系でしょう。なぜこういう価値体系が生まれたのかも含めて、学び、議論することで、価値にコミットメントする構えができてくると思います。

梅田　普遍的な価値は、歴史的に培われてきた価値を学んでこそ、議論できるということですね。

林　はい。歴史的に培われてきた価値の意味を知らないと、費用対効果や損得勘定でしか、価値判断できなくなってしまいます。資本主義の外にでるには、価値に対するコミットメントが必要だと思います。いまの社会では、多くの人が、あまりにも経済合理性にからめとられすぎています。最重要にすべき価値もわからず、空虚だから、それを埋めるのは快・不快や損得で得られるものでしかなくなってくるのかと。でも、その空虚さは不完全で、曖昧です。だから、カルトなどに染まってしまう人がいる。日本人がカルトや自己啓発に弱いのは、むしろ無宗教の人が多いからだと思います。

梅田　無宗教だから、何を大事な価値として生きていけばよいかが、わからない人が多いということですよね。

林　ただ、日本の場合、無宗教でなくても、仏教にせよ、キリスト教にせよ、人間中心主義といいますか、御利益宗教として、公理すら改竄されて受容されてしまう傾向があります。だから、価値や規範との葛藤が生じにくいんだと思います。その価値や規範を受容するにせよ、拒絶するにせよ、価値や規範は、人間の都合でいいとこどりして改竄できるものではありません。自由で独創的な解釈は、一見していいようにみえますが、裏返せば、価値や規範に対するコミットメントがないからともいえます。なんというか、時代の趨勢で、意匠がめまぐるしくころころと変わっていくだけのような。

梅田　いまの日本では、規範も価値も、あったとしても相対主義的になっていて、選択に過ぎないということですね。

林　そうですね。結局、自由な主体っていうのは、規範、価値を内面化してコミットしているからこその自由な主体です。たとえばキリスト教徒は、絶対的な価値、規範があって、それを内面化したうえで自由な主体となります。そういうのが日本社会にはないので、価値相対主義的になってしまうのではないでしょうか。だから、「撤退」といっても、何から撤退するのかが曖昧模糊として、敵がみえにくいようにも思います。

可視化できなかったことを、なんとなく見えるようにしていく

梅田　社会で共有する価値が曖昧で、相対主義的であるから、何を敵にしたらいいか、というか、何から撤退したらいいかもわかりにくいということですね。確かに、そういう側面があると思います。

　そもそも、「撤退学」の共同研究は、それぞれが、何からの撤退かを考えて論じる、というスタンスではあるんですが、加速する社会からの撤退っていうのは共通しています。これは堀田先生がいっていましたけど、ルネッサンスと一緒で、みんなそれぞれ違うところで違うタイミングで何かを言ったりアクションしたりするんだけど、でも総体としてみてみたら、なんか似たようなことを言ったりアクションしたりしていて、それで段々と社会が変わっていくという、「撤退学」は、そういうムーブメントでもあるのだと。

林　そういうふうに、もやもやしていた、対象化できないものを可視化していくっていうのが撤退学ですよね。

梅田　そうだと思っています。山岳新校も、同時多発的にあちこちで、みんなが行き詰っていたり、考えていたり、アクションしていたりしていて、でも可視化したり言語化できなかったことを、なんとなくみえるようにしていくような。対話して、考えていくことで、そこに共通してみられ

る何か、それが価値なのかもしれないけれど、そういうのがだんだん浮き彫りになってくるような場所、ということじゃないでしょうか。

林　なるほど、わかります。日本の場合は、そういう、欠乏している何かや、アクションすべき何かを浮き彫りにして、共有するのが難しいですから。何だろう、たとえば、日本では、疎外されていると主張するとか、本来性を取り戻そうというよりも、「本来こうであらねばならない」と言うことによる抑圧、そちらのほうが問題として重くみられるんですよね。だから、特定の価値にコミットすることに抵抗をもってしまう。それで、シニシズム、ニヒリズムに向かってしまいます。それが行きつくところっていうのは、結局は現状維持なんですよね。

梅田　その、現状維持、何をやっても社会は変えられないっていうのがすごく強いですよね。

林　けど、社会を変えようともしてないんですよね。長年，闘争してきて、それでも無理だったというならわかるけど、自分で変えようとした経緯がないにもかかわらず、最初から、大人びた言葉で、社会は変えられないっていう。それが、一定数の人々に説得力があるわけです。

梅田　ニヒリズム、シニシズムが支配的になってきていて、だから、価値とか、理念とかを議論する土壌がなくなってきているともいえますね。それを議論するフィールドを創っていく必要がありますね。

林　個別具体的な議論しかしなくなっているんですよね。本当は、物事の根本的な価値を問うて議論する必要があるんだけど。たとえば、安楽死とか、自殺とかも、議論があるけれど、その背景にある根本的な価値をどこまで議論できているかっていうと、できていない。

梅田　大学のゼミでは、そういう議論をしますよね。でも、大学のような場所以外で、日常的に議論する場が、あまりありません。先ほどの話に戻りますが、そういう話題は、避けるんです。政治と宗教の話は避けるっていう。そういう話をすると、気まずい雰囲気になるし、重いから、友達や職場の人、家族とかと日常的に議論することがない。学生もよく言います。他の友達に社会問題の話をするとびっくりされると。けど、本当はもっとそういう話をしたいのに、と。みちのりの参加者の人もそう言っていましたね。

林　そう、「深い話」が出来ないというんですよね。聞いていると、普段からしてもおかしくない話なのに、深いから出来ないと。ふみ込み過ぎるような気がするらしいです。日本でもいま、若い人が政治に関心もつように、主権者教育、とか言いながら、結局は個別具体的な政策の話が中心になっているんですよね。政策論争になる。マスコミも、そういう傾向です。けど、議論すべきこととして、価値の問題が重要です。こういう社会であるべきだ、という。個別具体的な、細部の重箱の隅をつつくような議論になって、木をみて森をみずになる。

梅田　先の目的、どんな価値を大事にするかをテーマにしようとすると、抽象的だとか、価値観はそれぞれだからと避けられて、結局個別具体的な話に終始してしまいますよね。特定の仕事の場面ではそれも重要ですが、社会全体のことに関しては、だからといって、価値の話をしないのは問題ですよね。エッセイにも書いていますが、山岳新校は、そういう価値について学んだり、考えたり、議論する機会になり得るのかなと。

林　価値、それですね。先ほどもいいましたけど、価値って、ひとりひとりが考えるものではないですよね。やっぱり、普遍性がないと。以前、相対主義が絶対主義になってしまっている、という話をしたことがあります。

梅田　価値相対的であることが絶対的なこととみなされる、ということですよね。前に、ゼミで学生が問題提起していました。揺るがされるべきでない重要な価値が、「多様な価値観の尊重」を理由に脅かされる局面が多すぎるのでは、という問題意識があって、その具体例をだして議論していました。そもそも「揺るがされるべきでない価値」というのが人によって違うのでは？という話になって、そこから、じゃあ、これまで人間はどういう価値を大事にしてきたのか、という歴史的な話になって。そもそも、相対主義が絶対的であるという風潮になってしまっている空気に自覚的になる必要がありますね。「私はこう思います」「そうですか、私はこう思います」「ああ、そうですか」となって、そこから何も生まれない、という状況が、よくあります。

林　価値って、そういうものではないですよね。価値を獲得するプロセスや方法には異なる考え方や進み方があるかもしれないけど、価値それ自体は、普遍的であるべきだと思います。

梅田　そこが日本では議論したり共有されにくいですよね。スウェーデンの教育では、国民が守るべき価値が明記されていて、その価値を共有していさえすれば、そこに至る教育の方法は各教師に委ねられます。歴史的に培われてきた普遍的価値を損なうものは、多様性の名のもとであっても遠ざけるべきとされます。ドイツもそうですね。戦後の教育で、ナチスの過ちを繰り返し繰り返し記憶として反復させ、歴史の教訓から、守るべき価値を共有しています。けど、日本の教育では、そういう守るべき価値が、共有されにくいと思います。具体的な指導の項目はものすごく細かいのですが。日本の場合は、人権を守ることが本来はそうであるはずだけれど、人権が誤解され、人権を侵害するような価値観や行動すら、「多様性」の名の下で許容されていますよね。

林　底なしの相対主義ですね。互換不可能な志向を押し通すときに、「公共の福祉」によって相対主義が限界づけられるはずなんですけど、いまは「公共の福祉」もみえなくなっている。

梅田　コロナのこともそうで、考え方が多様で分断しているというけれど、何を優先して守るべきかの価値が共有され、その価値を優先した政策が行われていれば、分断などしなくても済むはずです。幸福というと、またそこで多様な価値観がどうの、となりそうですが、生命に関しては共有できるはずです。

林　生存権か、自由権か、というところですね。

梅田　けど、本来は、そこは両立できるはずですよね。国、政党が、自分たちが守るべき価値がわかっておらず、世論の流行や気分に合わせて七変化している気がします。共産党は守るべき価値がはっきりしていますが。

林　だから、共産党は日本では支持が少ないのではないでしょうか。与党も野党も、国民政党は、国民に合わせてしまって、価値をしっかり貫いて持てない。いくつもの顔を持って臨機応変に変わるという、そういうのが今の日本では支持されやすいのではないでしょうか。

ふるまいから学ぶ

梅田　日本の教育の問題もいわれて久しいですが、文科省教育だけの問題ではないですね。本来なら、学校教育だけでなく、社会のいろんな場所で日常的にしっかり価値を議論し共有できる場があるはずですが、それがない。エッセイでも書かれていますが、林さんは、たとえば獣医さんにいろいろ教えてもらった。

林　はい、その人は学識も豊かで、教養あふれる人でした。なかなか、子どもの時や若い時に、そういう人と出会って、とことん話が出来る機会はないですよね。ラッキーでした。

梅田　場所にかかわらず、社会のあちらこちらでそういう人と出会えて学べるのが理想的ですが、なかなか難しいですよね。ただ誰でもいいから話ができればいいというのではなくて、学問に由来する学びの重要性は、やっぱり高いと思います。それは、知識と教養、あと、物事の見方だと思います。それらがないのに、急に議論しても、変な方向に議論してしまいそうですね。ある程度の知識と教養、特に、歴史や哲学なども含めて、物事の見方や知識、教養がないと。メディアの情報をうのみにして変な方向に議論してもだめですね。そう思うと、フォルケホイスコーレみたいなところは良いですね。哲学などしっかり学んだうえで、様々な人と議論できる。山岳新校も、そうですね。講師の本を読んだり、話を聞いてから、議論したり考えたりできます。

林　昔は、大学の授業以外でも、知識人がひらいている誰でも参加できる自主ゼミがよくあったけど、最近は減りましたね。大学よりも高度な議論がされていて、大学教員すらそこに通う。小室直樹さんとか。それは、単に知識の詰め込みをしているのではなくて、そこに特定の価値があった。

梅田　もともと、高等教育ってそういうもののはずですよね。

林　そうなんです。各々の教員、学者が何らかの、特定の価値を大事にしていて、それを教授していたはず。

梅田　それが、いつのまにか、特定の価値について言及するだけで「偏っている」「思想の押しつけ」と言い出す人たちが出てくるようになった。おかしい話です。大学がそんな風になってしまうと、そもそも大学は何を教え、何を学ぶところなのかと思ってしまいます。

林　大学教員、学者が教授しようとする価値っていうのは、単に自分の思いつきでなく、長年の研究に裏付けられているんですよね。研究者人生のなかで培われたもの、学問をするなかでの様々な出逢いのなかで培われたもの。それらを教授せずして、何を教授するのでしょうか。

梅田　大学すらそんな場所になってきているからこそ、「山岳新校」のような学びの場が必要になるのかなと思います。

林　講師が大事にしている価値を知り、それを受け止めたり、時には違う考えを主張したり乗り越えながら、価値について学んでいくという、そういう場所に、山岳新校、「みちのり」がなれたらいいですね。みんな、伊藤さんみたいになれるかとか、青木さん、坂本さんみたいになれるか……とかいいますよね。でも、それって、たとえば小室直樹みたいになれるか、というのと同じですよね。小室直樹のゼミに通っていた人は、小室みたいになりたいと感化されるけど、なれるかどうかわからない。でも、そういう力や姿勢をつけるために、傍にいる、といいます。学ぶときには、模倣します。その模倣は、そこに価値があるから、意味があります。講師や他の参加者の人たちとの関わりを通じて、その価値を体得していき、さらにいずれは、葛藤が生まれてきて、それを超えていくという。そういう過程です。その過程なしで、いきなりスキップして同じような景色をみようとする必要はないですし、難しいと思います。

梅田　確かに、価値というのは、そんな簡単に学べるものではないかもしれませんね。時間がかかりそう。

林　私は歴史学を専攻していて、歴史学は一方では、過去から現在を相対化する視点を持っていますが、同時に「いま・ここ」にあるものの存在根拠を過去に遡及して明らかにする営みですから、当然ながら、「いま・ここ」にあることの必然性にシフトすることになります。こうした両義性が歴史学にはあり、そこがおもしろいのですが、社会問題に対して快刀乱麻に切り込んで、「これが答えだ」的なことにはそぐわない、本当にまどろっこしい学問なんです。このどちらも、先生との出会いがあったからこそで、頭で学ぶというよりは、その人の構えというか、姿勢から感化され学んだことが多かったです。

梅田　それはよくわかります。今回の「みちのり」でも感じたのは、講師や参加者の方々が、価値を体現するような生き様というか、ふるまいで、そういうもののひとつひとつと触れ合うことで、学ぶことが多かったように思います。「みちのり」の意味は、そこにもあるんじゃないでしょうか。

林　まさにそれですね。フォルケホイスコーレでは生活のなかでの学びを重視していますけど、そういう生活のなかでのふるまいや生き様からお互い学ぶこと、得ることも多いのだろうと思います。

梅田　「みちのり」は、今回の合宿は２泊３日でしたが、そのあとも、たとえば、参加者のおひとりが自分で考えたナリワイを、伊藤さんと一緒に実現させるなど、継続したかかわりが持てています。そういうプロセスで、まさに体得といいますか、学ぶことができています。「みちのり」も、そのうち、フォルケホイスコーレのようなもっと長めのプログラムも開催したいですね。

まだまだお話したいところですが、今回はこの辺で。ありがとうございました。

8　つまらないゲームに乗らないための術

——ただ正面対決だけしている場合ではないが逃げるだけでも息切れする

伊藤洋志（ナリワイ）

正面からぶつかる、逃げずに向き合うというのはパワーの小さいものが常套手段としてやることではない。相撲でも小兵力士は当たって左右にズレるなど工夫して大型力士と渡り合う。そして、何かを観察する際に正面から見るだけでは全貌を把握することは難しい。せめて上下左右、はたまた近づいて、もしくは離れて観察したほうがいい。

撤退という言葉を聞いて、私が思い出したのは「逃走」であった。40年ほど前にヒットした書籍[*1]で唱えられた魅力的な呼びかけだが、当時から「逃げ切れるもんなのか？」という疑問が投げかけられていた。2023年の今、ようやく答え合わせができるようになった。結果は、ほとんどの人が何もかもから逃げられるわけではなかった。現実にはアンデンティティの帰属先を無にできるようなユニバーサルな人間はいない。国境を無関係に自由に飛び回るには相応の資金と才覚も必要だし、逃げ続けるだけの体力を増進するには別途の工夫が必要だ。さらに、ただ逃げるだけだと「水道民営化」「教育の商業化」「ジェントリフィケーション（不動産高騰による生活者の追い出し）」などが起き自由な領域が減る一方になってしまう。

私が当事者の年代に近い事例だと2010年代にも似た言葉が流行った。それは「ハックする」だ。これは本来はコンピューターハッカーの褒め言葉だったが、日本においては「大きなシステムは変わらないし、変えられないからシステムの隙をついて操ってしまおう」という雰囲気で使われていた。この路線は良くなかった。大きなシステムに疑問を持つことを放棄し根本的な問題を放置する傾向につながった。日本風ハック志向の結果、有力者との人脈的つながりを使って公共政策の軌道を変えようという邪道なことまでが理想のやり方の範囲に入ってきたと感じる。日本社会に欠けている重要な要素を一つあげるならば透明性だと思うが、「ハック」はその真逆の方向になりがちである。

以上の手短かな振り返り（過去の検証もまた透明性だ）を踏まえると「撤退」は興味深い。面白いところは、逃げるにしてもあるラインまで、という撤退ラインの設定があることであろう。もっと言えば撤退を決める判断基準もある。やみくもに逃げること一辺倒よりも、状況判断が求められる。逃げもするし、引くのはここまで、ここなら持ち堪えられる、このタイミングでは逆に押し戻す、という状況判断も重要だ。

私が取り組むナリワイ*2制作活動も「大組織に頼らず自分らしい働き方」という切り方で紹介されがちだが、実態は少し方向性が異なる。ナリワイとは生業のことだが、これには代替可能な労働資材にされてしまわない働き方という意味合いを込めている。もっと言えば自分と身の回りの生活を直接向上させられる技能とそのお裾分けがナリワイである。だから官僚制や、中身は三の次で認知度がものを言う広告依存の世界とは距離を取れる。その上でナリワイをつくる、とはつまらないゲームに乗らないための撤退と撤退先での生息域開拓の二つのアプローチを同時に行う活動である。

「住」を例にして考えてみよう。現代人を経済活動に追い立てるものの一つに家賃がある。働いてなくても家賃は生じる。何もしてなくても生じる生きていることへの利子とも言えるコストだ。実体はもちろん建物の使用料であるから正当な支払い義務だが都心部の家賃は、不動産投機のため実体以上の支払額になっている。このゲームになるべく乗らないためには一般的な（実用価値以上になっている）相場観から外れた物件を使うことである。これがまず撤退アクションその一。次に、賃料の安い地方に移住するなどの撤退ラインの設定だ。地方に、駅から遠くに、築年数が古い物件に、と撤退してなおかつ自分の生活の質が向上する物件が見つけられれば、撤退しつつ「敵（不動産投機）」が当面は攻めて来ない生息域の確保に成功したと言える。

現実問題としては住処一つでも生息域を新たに開拓しようとすると障壁がけっこうある。ほとんど条件を満たしていても「キッチンの隣に洗濯機がある」「床がボロボロ」「畳部屋しかないのが嫌だ」「日当たりが悪い」など色んなところでつまずく。条件を動かす技能を一つ持てばこのつまずきが解消できる可能性は一気に高まる。完全に条件が一致するような物件を探す大変さより一つ二つの条件を自分の力で変更できるようにしたほうがずっと楽だ。この条件を変更できることが、撤退術と合わせて必要な生息域開拓の技能である。撤退には、第一に「これは自分には必要がない」などと決める価値観の変化が求められ、第二に撤退先での生息域の開拓には具体的な技が必要だ。

この具体的な技に関わる私のナリワイの一例をあげると「全国床張り協会」*3という活動がある。自分で床を張れるようになるための実習講座を全国で開催している。なぜ床なのか？　多湿の日本では空き家になって真っ先にダメになるのは床だからである。床がダメになれば見た目も荒れるし、生活はおろか補修作業も難しくなるので、一気に価格が下がる。一方で床張りは改修作業の中でも重要だが素人でも練習して丁寧にやればプロと同等の質の良い床を仕上げられる。

協会と称してやっていることは、現場での実習講座の開催である。実習には現場の練習台が必要だが、練習台はこれから空き家を改修して住もうという家主の提供である。家主は、素人に練習台を提供する代わりに自分も床張り技術が身につき床も張れ、実習参加者は床張りだけの技能習得を短期間で行える（現状そのような教育機関はほぼ存在しない）。そして講師は、授業料を受け取りながら毎回10人程度の初心者に床張り技術を伝授する。低コストで三者とも楽しく得をする仕組みである。得をするだけでなく、初対面の人たちと協力して気分の良い空間をつくる体験はとても充実感がある。

自力で床を張れるという人の割合を調べたことはないが、100人に一人もいないのではないだろうか？　大工の減っている今は水害などがあると、家の修理が半年待ちになるとかザラにある。災害対応力という意味でも各人が床張り技能を持つのは良い。このような撤退のための技能は考えるに値するテーマだと感じる。ちなみに、私が目下取り組んでいるのは空き家の改修よりもさらに廉価で必要十分な暮らしのできる仮設住居「ゲル」の日本適応のための実践研究である。空き家を完璧に改修するのは諦めて風呂トイレの設備小屋として再生、居住はゲルをメインにする作戦である。空き家を完ぺきに直さなければならない、というラインからも一つ引いていい形の撤退ができないかと考えている。

【脚注】

＊1　浅田彰（1984）『逃走論』筑摩書房.

＊2　伊藤洋志（2012）『ナリワイをつくる――人生を盗まれない働き方』東京書籍.

＊3　全国床張り協会（2011 ～）. https://yukahatter.jp

「みちのり」とは？ 2022年開校レポート

「みちのり」とは？

「みちのり」は、学ぶこと、働くこと、楽しむこと、つながること、支え合うこと……といった営みが乖離しない生き方を探る、学びのコミュニティです。

➡朝から晩まで職場で働き、家ではクタクタで眠るだけ。

➡やりたいことがある。家族をもっとケアしたい。心身を休めたい。そのためには、今の仕事を辞めないと。けど、辞めたら人生詰んでしまうんじゃ？

➡ゆったり過ごしたいから、週に数日だけ働く。やりたいことが沢山あるから、どれも少しずつ仕事にしたい。周りの人と必要を賄いあって、ゆったり生活できたら十分、幸せ。それなのに、なぜ、周りは皆心配するの？　なぜ、「ちゃんと定職に就け」というの？

こんな疑問・不安を持つことはありませんか？　就職のために勉強がんばってきたんだから、定年までふんばって働かなきゃ。仕事とプライベートは混同したらダメ、遊び気分で仕事はするな。こんな生き方・考え方は、歴史的にみてもグローバルにみても、けっしてスタンダードではありません。生きていく上での、学ぶこと、働くこと、楽しむこと、つながること、支え合うこと……といった営みは、本来、時間・空間・人と人のつながり、いずれの面でも今ほど乖離していませんでした。

各々の営みが乖離することなく、つながった豊かな生き方。戦後日本がスタンダードとしてきた生き方の、オルタナティブとも言えるでしょう。「みちのり」では、そんなオルタナティブな生き方と、そのベースとして大事にしたい価値や視点を、様々な学びのプログラムを通じて共に探っていきます。

2022年度秋期プログラム

2022年度秋期は、オンラインと対面（合宿形式のスクーリング）を組み合わせた、以下のプログラムを開催しました。合宿では、東吉野村の自然のなかで、オルタナティブな生き方を研究・実践されている人々との対話を楽しみながら、学びました。

○合宿（プログラム2〜7）スケジュール

日時		概要	場所
22日(土)		各自移動(自家用車または電車・バス)	
	13:00〜	「人文系私設図書館ルチャ・リブロ」 玄関前集合・受付	人文系私設図書館 ルチャ・リブロ (鷲家)
	13:00〜15:00	【プログラム2】 「人文系私設図書館ルチャ・リブロ」見学(〜13:15) 青木真兵さん・海青子さんのお話&フリートーク(13:15〜)	
		各自移動(自家用車またはコミュニティバス)	
	16:00〜18:00	「東吉野ふるさと村」チェックイン	東吉野ふるさと村 (やはた温泉)
	18:00〜	夕食&トーク	
23日(日)	8:00〜	朝食	東吉野ふるさと村 (やはた温泉)
	10:00〜12:00	【プログラム3】伊藤洋志さんのお話&フリートーク	
	12:00〜13:00	昼食	
	13:00〜15:00	【プログラム4】ワークショップ①「ゲル」を建てる	
	15:00〜18:00	【プログラム5】ワークショップ② 自分のナリワイを考えてみる(前半)	
	18:30〜	夕食&トーク	
24日(月)	7:30〜	朝食	東吉野ふるさと村 (やはた温泉)
	9:00〜12:00	【プログラム6】 ワークショップ③自分のナリワイを考えてみる(後半)	
	12:00〜	昼食・チェックアウト	
		各自移動(自家用車またはコミュニティバス)	
	13:30〜15:00	【プログラム7】 「オフィスキャンプ東吉野」見学 坂本大祐さんのお話&フリートーク	オフィスキャンプ 東吉野 (東吉野村役場前)
	15:00〜	あいさつ・解散	
		各自移動(自家用車または電車・バス)	

開校までの「みちのり」

●事例研究

「みちのり」秋期プログラムの企画に先立って、国内外のオルタナティブ教育に関する調査研究を行いました。特に、デンマーク発祥の「生のための高等教育」として近年日本でも注目が高まり続けている「フォルケホイスコーレ」に着目しました。また、個人をとりまく生き方・働き方・住まい方の現代的課題を整理・分析しました。

●カリキュラム・講師の検討

事例研究の成果をふまえ、「みちのり」の参加者イメージ・カリキュラム・講師等を検討しました。2022年度秋期プログラムのメインテーマは、「仕事・生活・ケア・生きる楽しみや喜びなどが乖離しない生き方・働き方を探る」としました。カリキュラム・講師は、まず、ガイダンスでは堀田新五郎さんに山岳新校のベースとなる考え方についてお話しいただき、東吉野村の合宿では、東吉野村に移住して創造的な生き方・働き方をされている青木真兵さん、青木海青子さんと坂本大祐さんに、各々が運営する「人文系私設図書館ルチャ・リブロ」「オフィスキャンプ東吉野」にてお話いただくこととしました。そして、今期のメインゲストとしては、『ナリワイをつくる』『フルサトをつくる』『イドコロをつくる』などの著書で広く知られ、自ら「ナリワイ」の実践者でもある伊藤洋志さんをお招きし、お話とワークショップをお願いしました。さらに、単発の学びで終わるのではなく、参加者の皆さんとスタッフ・講師の持続的な関係を構築してともに学び続けるコミュニティとすることを重視し、継続的に参加者が企画運営する学びのプログラムを設けました。

なお、カリキュラムの詳細は、講師の皆さんの助言をいただきながら、企画運営スタッフの林尚之、桑木野真理子、梅田直美の3人が中心になって策定しました。プログラム参加応募者には、応募理由、参加して学びたいこと・考えたいこと・やりたいことなどを事前に教えていただき、その内容も参考にしました。

●参加者

定員を15名としていましたが、定員を超える応募があり、予定より多い20名の参加となりました。そのうち、東吉野村での合宿は参加者17名、講師・スタッフ9名、合計26名での実施となりました。

東京、神奈川、埼玉、愛知、大阪、兵庫、京都、奈良など各地からご参加いただきました。年齢は、20代〜50代までと多様で、男女比はほぼ同じでした。現在の職業・働き方に関しても、長年同じ会社で正社員としてお仕事を続けてきた方、これから転職を予定されている方、起業されている方、地域おこしをされている方、複数のお仕事・活動を手掛けておられる方、お仕事はお休みしこれからのことを考えておられる方、大学生など、様々でした。

なお、みちのりへの参加応募時に、「応募理由」と「みちのりで学びたいこと、考えたいこと、やってみたいこと」をお聞きしたところ、以下のような理由が挙げられていました。以下はほんの一部を抜粋したもので、多くの方が、とても丁寧に、現在の状況から何を課題と感じ、何を学びたい・考えたいと思って参加応募してくださっているかを詳しく書いてくださっていました。それらを拝見し、「みちのり」の企画のときにイメージし期待していた以上に、様々なバックグラウンドをもちながら、これからの生き方や社会のあり方を様々な視点・価値観をもって考えている方々が応募してくださり、スタッフ一同嬉しくなりました。

アンケート回答より抜粋

**●「撤退学」や「みちのり」の意図、
プログラムの内容に共感した／関心がある**

○「撤退学に関心がある／共感した」「山岳新校に関心がある」「みちのりの意図に共感した」「『ナリワイをつくる』の愛読者／ナリワイに関心がある」

●自分の生き方を考えるため

○「現在、移住場所と生業をどうしていこうか考えている」「生活する上での新しい軸を見つけることが出来るかもしれないと思った」「最近になり何か行動を起こさなければとリサーチをしていた・もっと自分を活かせることを始めたい」「もう少し働くことを自分に近づけたいが、どうすればそのようなことが出来るのか分からないため、働くこと・それ以外の生活、のように分けずに生活している人の話を直接聞きたい」「今までの自分の生活に漠然とした疑問・不安・モヤモヤ感情を抱いているので、自分なりの生き方を見つけたいと考えた」「見つめ直す時間が欲しかった」「今後の生き方について広い視座で考えたい」「「今の自分の悩みにぴったりかもしれない」と感じた」「自分に合った考え方・働き方・暮らし方・生き方を皆さんと模索し、見つけたい」「働くことが生活に結びついている人はどのように生きているのかということを学びたい」「自分の生活の中で撤退できることを見つけたい」

●思考・行動・実践したい

○「過疎・地域消滅に関する問題点・課題・解決の糸口を学びたい」「"消費"に飲み込まれない本当の意味は何なのか、議論と実践がしたい」「持続可能な未来のために私たち人間に必要なことを考えたい」「動植物、人間共存共栄の可能性を考えたい」「世の中のしがらみに対してモヤモヤしており、自分はある程度しがらみから距離を取れているが、身近にいるしがらみに苦しんでいる人が解放に近づけるように、何か行動したい」「将来を生きていく生徒に対しても、現在の場所以外でも生きていけることを示したいと思い、そして自身もそうでありたいと思った」

●奈良・奥大和を味わいたい・学びたい

○「奈良の山奥の気配を先立と共に味わいたい」「奥大和地域での生き方、暮らし方に対する学びを深め、実践したい」

2022年度秋期プログラム

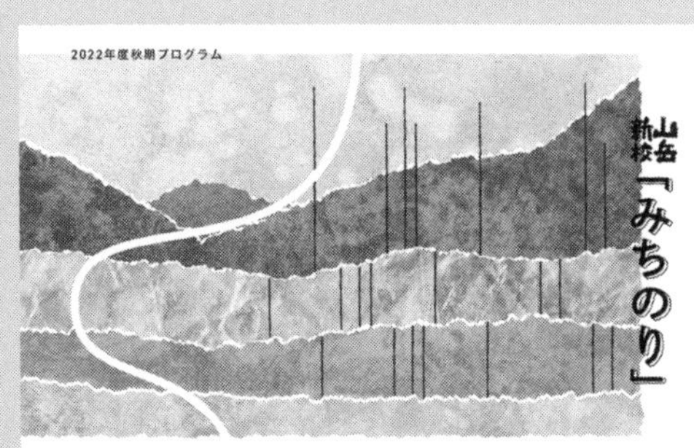

「山岳新校」は「山中でこれからを生きる「知」を養う」をテーマに、奈良県南部に３つの学びの場を作る試みです。

山岳新校「みちのり」2022 年度秋期プログラム参加者を募集します

「みちのり」とは？

「みちのり」は、学ぶこと、働くこと、楽しむこと、つながること、支え合うこと… といった営みが融合した生き方を探る、学びのコミュニティです。

こんな疑問・不安を持つことはありませんか？就職のために勉強がんばってきたんだから、定年までふんばって働かないと。仕事とプライベートは混同したらダメ、遊び気分で仕事はするな。こんな生き方・考え方は、歴史的にみてもグローバルにみても、けっしてスタンダードではありません。生きていく上での、学ぶこと、働くこと、楽しむこと、つながること、支え合うこと… といった営みは、本来、今ほど乖離していませんでした。

各々の営みが孤離せず、融合した豊かな生き方。戦後日本がスタンダードとしてきた生き方の、オルタナティブとも言えるでしょう。「みちのり」では、そんなオルタナティブな生き方を、様々な学びのプログラムを通じて共に探っていきます。

2022 年度秋期プログラム

2022 年度秋期は、オンラインと対面（合宿形式のスクーリング）を組み合わせた、以下のプログラムを予定しています。
合宿では、奈良県東吉野村の自然のなかで、オルタナティブな生き方を研究・実践されている方々との対話を楽しみながら、学びます。
特に今期は、生活から生み出す「ナリワイ」（やればやるほど頭と体がきたえられ、仲間が育つ仕事）の研究・実践に取り組んでおられる、伊藤洋志さんのお話とワークショップをメインプログラムとしています！

開講　プログラム 1

10月8日（土）15時～17時
場所：オンライン
ガイダンス・堀田新五郎さんのお話&フリートーク、ほか

堀田新五郎さん（奈良県立大学副学長・地域創造研究センター長）

東吉野村での合宿形式のスクーリング

プログラム 2

10月22日（土）13時～15時
場所：人文系私設図書館ルチャ・リブロ（東吉野村）
「人文系私設図書館ルチャ・リブロ」訪問
青木真兵さんと青木海青子さんのお話&フリートーク

青木真兵さん（人文系私設図書館ルチャ・リブロキュレーター）

青木海青子さん（人文系私設図書館ルチャ・リブロ司書）

プログラム 3-6

10月23日（日）～24日（月）　場所：東吉野ふるさと村

3　23日10時～12時　「ナリワイ」伊藤洋志さんのお話&フリートーク

4　23日13時～15時　ワークショップ①：モンゴル移動式住居「ゲル」を建てる

5　23日15時半～18時　ワークショップ②：自分のナリワイを考えてみる（前半）

6　24日9時半～12時半　ワークショップ③：自分のナリワイを考えてみる（後半）

伊藤洋志さん（ナリワイ代表）

プログラム 7

10月24日（月）14時～15時半
場所：オフィスキャンプ東吉野
「オフィスキャンプ東吉野」訪問
坂本大祐さんのお話&フリートーク

坂本大祐さん（合同会社オフィスキャンプ代表）

プログラム 8

参加者・スタッフ合同で企画・実施（日時・場所等は企画内容に応じて設定）

募集対象・定員　対象：18 歳以上　定員：15 名　※定員を超える応募があった場合は、応募理由等をもとに選考いたします。

応募方法　・以下の応募フォームよりお申込みください。　URL: https://forms.gle/tt2BGuqfVD5Qb5vj6
・締め切り：2022 年 9 月 28 日（水）23 時　※10月3日までに選考結果をご連絡します。

◀ 応募フォーム QR コード

参加費　参加費は無料です。ただし、合宿などプログラム参加に伴う交通費・宿泊費・食費等の実費は各自負担となります。

その他　部分参加も可能です。ただし応募者多数の場合は、全日程参加可能な方を優先して選考いたします。｜合宿の宿泊先としては「東吉野ふるさと村」（相部屋・風呂トイレ共同／1泊３千円・食費別）を手配しています。別施設での宿泊を希望する場合は各自でご手配いただきます。詳細は、プログラム参加決定後に改めてご案内いたします。｜参加者・スタッフ・地域の方々がともに安心してプログラムを楽しめるよう、新型コロナウイルス感染防止対策にご協力をお願いいたします。（詳細は応募フォームに記載の内容をご確認ください。）

問い合わせ先：奈良県立大学地域創造研究センター猿谷学研究ユニット 山岳新校「みちのり」スタッフ（堀田・林・桑木野）
michinori.sangaku[at]gmail.com（[at] を @ に変えてお送りください。）

「みちのり」のチラシ

開校

開催

2022年10月8日にオンラインでガイダンスとプログラム1を開講。10月22日〜24日には東吉野村で、二泊三日の合宿形式でプログラム2〜7を開催しました。参加者企画は、現在も継続して実施中です。

プログラム1

初回は10月8日(土)にオンラインで開講しました。ガイダンスとして、まず「みちのり」の説明と、参加者・スタッフ全員の自己紹介を行いました。そして、堀田新五郎さんに「学ぶことの意味：鬼を脱落させる術の習得」をテーマにお話いただきました。

プログラム2

10月22日(土)、東吉野村の「人文系私設図書館ルチャ・リブロ」にて、初めて対面で集合しました。木立を抜けた先にたたずむ、とても素敵な図書館に胸が躍りました。青木真兵さん、青木海青子さんが迎えてくださり、素敵なゆったりとした空間で、お二人の生き方や考え方について、様々なお話をうかがいました。そのあとに参加者からの質問を中心としたトークを楽しみました。

東吉野ふるさと村にて、
自由時間&夕食&トーク

ルチャ・リブロでの時間を過ごしたあと、「やはた温泉」にある「東吉野ふるさと村」にチェックイン。川沿いにある木造校舎を改装した素敵な施設で、食堂には薪ストーブがありました。各自、温泉に入るなど自由に過ごしたあと、夕食をとりながら、ゆっくりとトークの時間。夕食は、川魚など地元らしさがあふれるメニューで絶品でした。青木真兵さん、青木海青子さんも一緒にお話し、途中からは伊藤洋志さん、堀田新五郎さんやスタッフも合流し、さらにトークは盛り上がり、かなり遅くまでお話しました。

プログラム3

10月23日（日）、東吉野ふるさと村にて、伊藤洋志さんのプログラムがスタートしました。まず、ふるさと村の研修室で、伊藤さんのお話を伺いました。ナリワイとは何か、いまの社会でナリワイ的生き方をする意味など、理論と実践のどちらのお話も、とても面白くあっという間の時間でした。

昼食

ふるさと村の食堂でランチタイム。カツカレーが絶品だったようです。

プログラム4

昼食後は、身体を使うワークショップで、ゲルを建てました。ゲルは伊藤さんが事前に宅配で届

けてくれたものです。移動して居住する遊牧民の自由な生き方に思いをはせながら、また、日本でのゲル応用の可能性についてのお話もうかがいながら、豊かな自然のなかで楽しい時間を過ごしました。

プログラム5

自分のナリワイを考えるワークショップを行いました。最初に、伊藤さんのレクチャーがあり、そのあとにグループに分かれてワークを行いました。グループワークでは、お互いのナリワイのアイデアを話しあいました。

夕食＆トーク＆焚火

2日目も、ふるさと村の食堂で夕食とトークを。2日目は、参加者の皆さんの企画で、外で焚火を囲んで、夜更けまで語り合っていました。

プログラム6

前日のプログラム5で話しあった各々のアイデアをもとに、最終的にはグループでひとつのナリワイのアイデアにまとめて発表し、全体で議論しました。

プログラム7

合宿の最後には、「オフィスキャンプ東吉野」に訪れ、素敵な設えの空間で坂本大祐さんのお話をうかがったあと参加者からの質問を中心にトークしました。オフィスキャンプ東吉野の運営に至るまでの経緯や今のお仕事のことなどについてお話いただいたうえで、大事にしたい価値や、現代社会においての山村で暮らす意味など、充実したテーマでお話が盛り上がり、あっという間に時間が過ぎました。

最後に、東吉野村での合宿の締めくくりとして挨拶をし、今後の予定などを共有しました。

プログラム8

「プログラム8」は現在進行中です。参加者の皆さんからいくつかのアイデアがあり、少しずつ実現に向けて動いています。

たとえば、プログラム5・6の「自分のナリワイを考えてみる」のワークショップで、参加者の鳥原蓮花さんが「穴掘り商会」のアイデアを考えて発表し、そのアイデアが、伊藤洋志さんのご協力によって2023年2月4、5日に実現しました。穴掘りフィールドの提供者は、神戸を中心にユニークな空き家DIYプロジェクトを展開している「西村組」。廃屋が並ぶエリアを西村さんたちが生まれ変わらせている「バイソン」にて、穴掘りを行いました。当日は、大人から子どもまで、30名ほどの方が集まりました。開会式では「あな」という絵本の朗読から始まり、2日間にわたって皆で穴掘りをし、深さ1.5メー

トルの穴が掘れました。穴掘り以外にも、「西村組」の方にバイソン周辺の案内をしていただき、充実した2日間になりました。伊藤さんいわく、「穴掘り」というアイデア自体が、農林業から災害復旧まで多方面に生きる技能が身につく上に、原初的な楽しさを追求できるという面白さがあるとのことです。なお、参加者のうち何名かの方から早速、「うちでも掘ってほしい！」というお声をいただき、これからもつながりが広がっていきそうです。

参加者のみなさんから

●松田史奈さん

東吉野村にある、ルチャ・リブロという居心地の良い図書館で、こんなお話に出会った。「自然に生きていて生じる『過剰』を『おすそわけ』しあうことで、皆が心地よく過ごせる。それが仕事なら皆が無理なく働けるんだろうな」。ルチャ・リブロの空間と青木真兵さんのこのお話は、「おすそわけ」という目線を教えてくれた。そこで、身の回りの「おすそわけ」について考えてみた。

私は、大学卒業後、雑貨を扱う商社で働いていたが、教育関係に携わりたくて転職し、現在は小学生や高校生と関わる仕事をしている。学生の頃、部活動で後輩に教えることが好きだった。きっと私の自然状態では、子どもや学生と関わりたいという気持ちが「過剰」なのだろう。経験はまだまだであるが、「おすそわけ」が仕事になり得る状態でいられることは幸せなんじゃないかと思った。何より自分が自然であるから。

これまで私は、「おすそわけ」をたくさんもらうことで生きてこられた。私がマイペースに耕している畑は、近所の方に苗をもらいながら拡大した。そしてやっと自分が育てた野菜を人に「おすそわけ」できるようになった。

青木さん夫妻の「過剰」は本であり、私設図書館として「おすそわけ」されている。また、お悩みに本3冊で答えるなど「おすそわけ」の幅を広く持たれている。

私も「おすそわけ」の幅やジャンルを増やせたらと、人それぞれにおすすめの『男はつらいよ』を紹介する寅さんコンシェルジュを始めた。小学生の頃からシリーズのファンであり、人の個性を追求することが好きだから、自然と形になった。こんな風に「おすそわけ」を広げていきたい。

ヒト、モノ、情報が高速に行き交う現代社会の中心地では、その速さや量ゆえに、息苦しさが漂う。人と人との心のなかの深いふれあいは薄れ、堀田新五郎さんが提唱された「撤退」の二文字が人々の脳内に浮かぶはずである。「撤退」の一つの手段として、「過剰」の「おすそわけ」はあり得る。モノやサービスの対価としてお金を支払うことは撤廃できない。しかし、ヒトやモノが次々に往来する社会からほんの少し「撤退」して、物と物、特技と特技でも人とやりとりできたら、同時に心に豊かさが灯るのではないか。「おすそわけ」の喜びを知る人が増えたら、社会は「おすそわけ」で循環するのではないか。そんな理想をゆったり掲げながら、これからも自然な自分を大切にしていきたいと思う。

●辰巳信平さん

昨年、膝を骨折。人生初の松葉杖で随分と不便しました。そんな僕には、ルチャ・リブロ青木さんの「台風の怖さを、ちゃんと怖いと感じられるようになった」という言葉が奇妙にシンクロして響きました。

松葉杖で街を歩くと、いろんな障害がありました。元々僕はアウトドアで遊ぶのが好きで、山や川では這いつくばることも普通です。疲れたら適当な岩に腰を下ろします。街では、道を這いつくばることも段差に腰掛けることもできない。そのことを松葉杖を通して強く感じたのでした。一見便利な通路・動線、人の流れ。それら全てが決められているが故に、決められた歩き方をしない僕は、街から拒否されているんだな、と。

では、誰がどうやって決めていて、どうやって僕に強要しているのか？　常識？　効率？　経済性？　それってそんなに大事なん？　自分の五感と自分の五体で感じて動いたらあかんかね？　こんなことを言うと、青臭いだとか“ナチュラル志向”だとか言われそうですが、青臭いと感じるのは語る言葉が無いからで。もっと語ってもいい、もっと言葉を作ってもいい。そんなことを「山岳新校」で学んだ気がします。

山や川、自然と接していると、決められていないスキマや決めることのできないソトだらけだとすぐにわかります。では街や社会ではどうすれば“スキマ”や“ソト”を作ることができるだろう？　若い人たちにこんな話をしてみると、意外に反応が良く、変な堅苦しさに疑問を持っているんだなと少し安心しながらも、彼らももうすぐどうでもいい就活エントリーシートをどうでもいい言葉で飾って、どうでもいいから大量に送られてきたエントリーシートを読むというくそどうでもいい仕事に就くんよななどとしみじみ思ってしまいました。

そんな会話の中で、「怪我人・病人を助けない方がいいらしい」という話も出てきました。事後訴えられるリスクを考慮すると手を出さない方がマシである、と。こんなところでも“「決められた手順」や「決められた資格」では無いもの”を排除してしまうようです。唸ってしまうと同時に、「訴えられてもまあええか」とのん気に思ったりもしました。台風怖いと言う人あれば、行って怖がらなくてもいいと言う、そんなお節介が自分の周りに“スキマ”を生むのかも、などと思ったのでした。

●鳥原蓮花さん

感じること・気づくこと―自然や手しごとが身近にある環境で育った影響で、食べることや作ることといった個人の営みが社会の現状や体系を生み出しているという感覚を私は持っています。そのため、ひとつの物事に対してかける思いや消費するスピードが人より大きく、遅く、長いです。丹精込めて作られたケーキも、ちょっと傷があるミカンも、何でもないラッピングのリボンも、消費するモノにはすべて背景となる過去があって、今自分の手元にあり、そして自分次第で未来につながる。だからケーキは記憶に残るように味わって食べるし、ミカンには愛着が湧きます。リボンはとっておきの缶にしまっておいて、誰かへのギフトにもう一度使いたいと考えます。

この社会には見えないスピード感みたいなものを感じていて、それに対し私は周りの友達より疎いように思います。ご飯を食べながらSNSでトレンドをリサーチしたり、電車に乗りながら動画配信を倍速で見たり。それらはあふれ出るたくさんの情報の中で常に無意識に何かを求めているようで、当たり前にある色や空気や温度を味わう感覚を排除しているように感じています。ある時、友達から私の暮らし方について「意識高いよね」、「いろいろ考えててえらいね」と言われモヤモヤしたことがありました。「私たちとは違う」と言われているような気がして、その時から社会の標準や普通を意識するようになりました。特に就職活動中は、「普通の人」でいないと社会のレールから落っこちてしまうんじゃないかという不安があり、就活における暗黙のルールや「こうするべき」にモヤモヤしつつもそこから離れて別の選択肢をとることができませんでした。

「みちのり」では、様々な背景を持つ皆さんとお話しすることができました。皆さんそれぞれ社会に対する考えや何かしらのモヤモヤを持っていて、自分の思いを打ち明けてくださったり、私の思いを肯定して受け入れてくださったりしました。そのひとつが「穴掘り」です。穴掘りの良さは、動作がシンプルなところです。足の力でスコップを地面に刺し、腕の力で土をすくい上げるという単純な身体動作がそのまま土に伝わり、穴として目に見えた結果が残る。集中してくると、土の匂いや湿り気などを感じ、五感が研ぎ澄まされます。シンプルだからこそ純粋に没頭できるのです。ただ、短いグループワークの時間で良さを理解してもらえる自信がなかったので、提案する時はかなり勇気がいりました。しかし、これまで周囲から感じてきた「普通じゃないよね」という空気感は全くなく、すっと受け入れてもらえたように感じました。今までの学生生活では偏った共同主観性によって普通じゃないとされてしまっていたことも、外に目を向ければそんなこともないと分かりました。「普通」に対する過剰な意識から解放されたように感じました。

コスパ・タイパが重視される時代の中で、ひとつの物事に思いや時間をかけるのは効率が悪いかもしれません。でも、何もしない時間やひとつのことに集中する時間を作ることは、心に余白を生み出し五

感を動かしてくれます。五感を使って暮らしの小さなことに気づくと、心が豊かになります。風の匂いで季節の変わり目を感じたり、暖かさで誰かの思いやりに気づいたり。この豊かさは効率やスピードだけを重視した暮らしでは味わえません。誰かのためとか何かの目的とか、そういうことを省いて、何を感じたいのかを考えると、自分の大切にしたいことは何なのかみえてくる。そんなことが「みちのり」を通して分かったような気がします。

●徳元萌さん

私が「みちのり」を知ったきっかけは、9/23(金)に青山ブックセンターで行われたイベントに参加したことでした。

当時、会社で色々と辛いことがあり、進路について悩んでいました。イベントの中で梅田先生がおっしゃった、「なぜ生きづらい社会と思っている人がたくさんいるのに、多く の人は今の社会に適合的な生活スタイルをやめない／やめられないのか」というお言葉を聞 いて、「もしかしたら、自分だけが会社に適合できず辛いのではなく、自分と同じような 思いを抱いている人は多いのでは？」と気が付きました。

「みちのり」では、ゲストの方々とじっくりお話できる機会があったことがとても良かったな、と感じました。特に印象に残っているのが、ルチャ・リブロの青木真兵さん、青木海青子さんご夫妻です。

私は大学院まで歴史学を専攻しており、学生時代は図書館で司書のアルバイトをしておりました。そのため、青木さんご夫妻に（勝手に）親近感を覚えていました。真兵さん日く、「大学院で合気道を始めてから、嫌なことを我慢できなくなった」とのこと。（ちなみに、「みちのり」の参加者で合気道をやられている方が複数いらっしゃったのですが、流行っているのでしょうか……!?）

「嫌なこと（or辛いこと）を我慢＝正解」という価値観の人は、日本にたくさんいると思います。ですが、我慢・我慢の人生を送って、その先に一体何があるんだろう……自分の将来に対して、そんな考えがぼんやりと浮かびました。

また、参加者の方との交流も非常に楽しかったです。毎回ご飯を一緒に食べるので、様々な年代・職業（学生さんも！）の方とお話できました。

東吉野村に訪れ（私は神奈川から来たので結構大変でした……）、美味しいごはんを食べて（カツカレーが絶品）、時にはゲルを建てた3日間は、旅行とはまた違う、不思議（こんな言い方しか思いつかずすみません）な経験でした。

幸運なことに、「みちのり」に携わった方の著書はたくさんあります。『撤退論』etc……。東吉野から帰ってきた今は、「みちのり」で出会った著者の方々の顔を思い浮かべつつ、それらの本を読んでいます。

「自己責任」という下で、社会が、団結ではなく分断されている現在、「なんか、今の社会って生きにくいよなあ」と思っている人が集まった「みちのり」合宿。もっともっと、この活動が広まっていけば、その理念に救われる人が必ず出ると私は信じて

います。

●Aさん
（インタビューでの語りをもとにスタッフが編集）

「みちのり」のことを知ったのは、ちょうど、長年勤めていた会社を休職していた時だった。休職中に、これからのことを考えようと思い、図書館にいって、働き方などに関する本を読んでいた。そこで、伊藤さんの『ナリワイをつくる』と出会い、面白いと思った。特に、お金を稼ぐための仕事のストレスを解消するためアイスクリームを買うお金がかかる、という本末転倒感。皮膚の調子も悪くなられた。ユーモアを交えドライに書かれているが、資本主義のこうした側面が人間を疎外していて、本当におかしなことになっていると思った。伊藤さんのTwitterをフォローしていたところ、伊藤さんの「奈良にいきます」というつぶやきを見た。それで、一緒に何かできるのかなと辿っていくなかで、「みちのり」のことを知った。「みちのり」のチラシに書いてある文言は、いま私が考えていることとドンピシャだと思った。奈良の奥地ではあるが、ちょうど休職中で、よい機会かもしれないと考えた。

まずは、関東で近場だったので、9月に青山ブックセンターのシンポに行った。すると、登壇者の皆さんや発言をしている方それぞれに問題意識をもたれていて、様々な問題意識をもって活動している方がこんなにいるんだと関心がさらに高まった。

自分にとって一番の課題は、これからどうするのか、ということであった。いままで勤めてきた会社に復帰するのか、復帰できるのか。復帰しないとしたら、どうするのか。それが決まっていなかった。単純に、「転職するかどうか」ということだけでなく、「これからどういう価値観で生きていくのか」ということが自分にとっての問題になっていた。

そんな時に、青山ブックセンターでの話を聞いていると、登壇者も発言者も、いままで各自が様々な事情があるなかで、キャリアチェンジなどしながら、やってこられた様子がうかがえた。いろいろな背景を持つ方々がいて、自分のように企業で働いてきただけではない多様な人たちと直接会ってお話をしたいと思った。また、単純に、奈良の奥地という、その場所に行きたい、という理由もあった。日常的に同じところにいると考えも堂々巡りになりがちなので、環境を変えてみたいという気持ちもあった。

実際に、東吉野の合宿に参加することにした。最初に行ったルチャ・リブロはとても素敵なところだった。ルチャ・リブロのことは、事前にあまり知らないままだったけれど、まず場所と建物がとても素敵だった。

青木海青子さんとお話ができて、驚いたのは、とても穏やかそうな海青子さんが、窓かどこかに止まった蜂に小さい空き瓶を被せ、それをスライドさせて蓋をして、外へ出したこと。蜂が室内に入ってきても慌てず、いつものこと、という感じで、「どこかに止まってくれないかな〜」と言いながら、冷静に淡々と捕獲していた姿に、こういうことが日常的にある環境で暮らしている逞しさのようなものを感じた。お話しする内容にも、とても惹かれた。ご自分の弱さ（私からみると弱いと思わないが）を無理せず、自分が生きやすいようなスタンスを模索されていて、その姿勢の先に、海青子さんのいまがあるんだろうなと思った。弱っている私みたいな人間にも優しく、不自然でないかたちで寄り添ってくれた。ふるさと村に移動してからも、夜に、海青子さんがおすすめの本や映画、ドラマなどを教えてくれて、とても豊かな時間を過ごすことができた。たとえば、「人に迷惑をかけようとしない風潮がおかしいですよね」という話をしていたら、それにあったおすすめの本を紹介してくれた。このように、本質的なことを、まだ会ったばかりのその日に話すことが出来た。こういう場に集まっているという安心感、豊かさがあり、それがとても良かった。こういう時間が過ごせるのは、奈良だからかな、と思った。

翌日は、ナリワイの伊藤さんのお話を聞いたり、ゲルをつくったり、ワークショップに参加した。伊藤さんは、本の内容から想像する以上に、面白い人だと思った。ひょうひょうとした感じなのに、頭で常に色々なことを考えておられ、その考えを行動に移してきた人で、強い人だと思った。ゲルづくりも面白かった。つくる過程では、伊藤さんがかなりやってくれて、私自身はあまり役割を担えなかった気がしたけれど、ゲルが出来てから、ゲルのなかでいろいろお話ができたのが特によかった。ゆるく囲われている空間が、日常と違う気がして、これだけのしくみなのに、こんなに空間が変わるんだと思った。少し前に、ある番組で、最小限の材料での建築が紹介されていたが、ゲルもそれに当てはまるのでは、と思った。今回、「みちのり」の参加者のなかに、環境問題に強い関心をもっている参加者もいて、刺激を受けた。環境問題とゲルは通じていると思った。

夜には、焚火を囲んで、深夜まで話した。この時間もとても良かった。伊藤さんが「遊撃農家」をやっていて果物のシーズンを追いかけて移動している話を聞いたり、ほかの参加者の方と仕事のことなどを話した。その時に、他の参加者の人と、今の状況について身近な人はどう言っていますか、なまじ、こういう「みちのり」とか「撤退学」などを知ると、どうしていくか迷いますよね、などという話になった。ああ、全くその通りだと思った。会ったばかりの人と、こういう本質的な話も出来た。時折、山にトレッキングに行くが、泊りがけで行くことはあまりない。集まったメンバーと環境の両方のおかげかもしれないし、夜は多少自意識が取り除かれるからかもしれないが、どの話題でも、とても居心地がよかった。私が参加したプログラムはここまでで、翌日、帰路についた。

いま、リワークプログラムに行き始めている。みんなで話し合うプログラムがあり、先日も隣の人と一緒にいろいろ話をした。参加者同士、いわゆる「一般的に働けている人」ではない私たち、といった何らかの共通意識を持つようになっている。リワークプログラムに行くと、その場に来ている人は、皆さん、いわゆる「病んでいる」感じはなく、「普通」にみえる。だからこそリワークに来られるようになったのかもしれないが。けれど、そういう人たちと一緒に過ごすなかで、「普通」と、「普通ではない」の違いって何なんだろう、と考えてしまう。また、こういう人たちが、自分らしくいられない会社って何なんだろう、とも思う。

本当にいろいろなことを考える。今回の講師やスタッフの皆さんも、様々な経験や事情を持たれていると思うが、そうはいっても、何かしら社会的な役割を果たしている。それに比べて、やはり、「仕事をしていない」ということには負い目を感じる。いまだけなのか、また仕事がみつかるかどうかわからないが、このままひきこもりになったらどうしよう、などと思う時もある。知人に、休職することになったと伝えたら、いま立ち止まれるというのは良いことだ、と言ってくれる。「立ち止まる」ことは必要

だと思う。そして、そこからまた歩き出すことの難しさも感じている。リンダ・グラットンさんの提唱するマルチステージの考え方や、ホイスコーレのような取組、長いキャリア人生の中で立ち止まって考えることがもっと当たり前になるとずいぶん違うのだろうな、と思ってみたりする。今は過渡期、変化の時なのかもしれないが、自分がまた動き出せるのか？という不安はある。そうはいっても自分のことは自分で考えて、決めていかなければ。

次の転職を考えて支援・相談担当の人と話すと、年齢的に厳しいなどと言われて、落ち込んだりする。私自身は、「みちのり」に集まる人たちが持つ価値観と近いし、それ以外にも共感してくれる人はいるけれど、やはり、世間一般の価値観はまだまだそうではない。少なくとも、自分がいた会社は世間側である。そのあたりの折り合いや、経済的なことも含め、これからどうしていくかを考えなければならない。選択肢を知れば知るほど、迷うというのが現状でもある。

「みちのり」の説明の時に話されていた、「普通」から外れられる人は「意識高い系」だから外れられるんだろうと考える人がいる、というのは、そうだと思う。今回の講師の皆さんなど本を書かれている人は、実際にうまくいっている事例であって、自分にはできない、とも思ってしまう。自分の一歩は、なかなか踏み出せない。「みちのり」に参加したのはもちろん良かったが、「出来ている人」をみることによって、自分とは違

うんだ、と思ってしまい、帰宅後、「現実」に戻された感がある。自分だけかもしれないけれど、「理想」と「現実」だと思ってしまう。でも、それだけ、「みちのり」で過ごした時間が良かった、ということかとも思う。

「みちのり」で学んだことを、これから自分でどうしていくのか、ということについては、そもそも即効性があるものでなく、「何とかセミナー」のように何か答えがすぐ出てくるものではないとわかっていて、全く、それでいいと思っている。当面、自分はどうするのか、という現実の問題はあって、それはそれで何とかしなければいけないけれど、それでも、自分が、「やはり大事なことってあるよね」と思う人間なんだ、ということを再確認できた。その部分は、無くしたくない。仕事を含めて、その大事な部分を出来たら一番良いけれど、そうでなくても、何らかの他の仕事をしながらでも、何か自分が大事にしたい活動をして、その活動をしているうちに、徐々にシフトしていくのが良いかもしれない、と思う。

今後、自分がやりたいことのひとつは、福祉とアートのことである。特に、若い頃から草間彌生さんが好きで、障害者の方のアートに関心がある。なので、今もそうした施設の見学に行っている。ただ、お給料はかなり安い。お給料が下がってもやりがいを見出せるなら、いいのかなとは思う。今までの働き方だと疲れてしまい、土日に活動するエネルギーもなかった。本当に仕事しか出来ていなくて、週末に本も読む力もでなかった。でも、それって生きている意味があるのかなと思う。

「みちのり」では、様々な人が参加している。なんでここに参加しているの、と思うような人もいたが、いわゆる「勝ち組」にみえるような人も、いろいろ悩んでいて、それぞれの事情を抱えていることがわかった。傍から見ているだけではわからない、それぞれの事情があって、それぞれ頑張っている。これが普通だよね、と思えた。

私は、今の会社での仕事に関しては、しんどいなと思いながらも20年以上やり続けてきたので、何だかんだ言いながらも、自分が続けるつもりなら続けていかれるものと思っていた。それがなぜ今できなくなったのか。いよいよ限界だったのか。その振り返りをリワークプログラムで取り組んでいるところである。

しかし、今回、自分に弱い部分があることを他の人に言うことによって、これほど皆さんが、声をかけてくれたり、自分もこうだった、と言ってくれた。「弱い」という言葉があうのかわからないが、そういう部分があってこそ人間である。いまになって、そういうことがわかった。そういう経験を大なり小なりしてきた方々だと、なお、それをよくわかってくれて、手を差し伸べてくれる。これから先どうなるかはわからないが、「みちのり」に参加したことは、貴重な経験だったと思う。

Photo: 中森一輝（一部除く）

山學院

PROGRAM 2

「山學院」は、
「とりあえず、やってみる」を学ぶ場です。
山學院の学びは
「やってみることの内容（コンテンツ）」を
先生に教えてもらうのではなく、
その「やり方（マナー）」を
参加者同士で学び合います。
ポイントは、一から十までやることが決まっている
「ルール」を求めるのではなく、
各人が自分にしか分からない
「ちょうどよさ」をヒントに
アイデアを形作ることにあります。
これを一言でいうと、山學院の学則
「コンテンツよりマナー 原理より程度」
になります。

10 山村で気づく「クリエイティブ」と「アニミズム」

【対談】坂本大祐×青木真兵　聞き手：八神実優

山學院2022の開催に先駆けて、山學院の発起人である合同会社オフィスキャンプの坂本大祐と、人文系私設図書館ルチャ・リブロキュレーターの青木真兵が語り合いました。山岳新校のテーマである「撤退」、そして山學院2022のテーマ「アニミズム」について。話題は縦横無尽に広がってゆきます。

山學院のはじまりと意味

——まずはお二人が主催されている「山學院」について、その始まりから教えていただけますか。

坂本　この本に登場する皆さんはほとんど大学の先生なんですけど、我々はもう在野というかね（笑）。僕は奈良県東吉野村で、「オフィスキャンプ東吉野」というコワーキングスペースをやっています。

青木　僕も同じく東吉野村で、自宅を「ルチャ・リブロ」と名付けて図書館として一般に開いています。普段は障害者の方の就労支援の仕事をしています。大学には所属していないんですが、古代地中海史の研究とか、本当にいろいろしています（笑）。この二人で「学びの場」を作りたいねと言い出したのが三年くらい前ですか。

坂本　そうやね。

青木　立ち上げたのが二〇一九年六月で、それからコロナウイルスの蔓延があってオンライン開催にしたりしていくなかで、今回の山岳新校のプロジェクトにお誘いいただきました。

坂本　僕このお話をいただいたのが、めっちゃ嬉しかったんですよ。我々が好きに始めた活動に本当に仲間ができて、同じような思いでやろうとしてくださっている人たちはこんなにいるんだ、みたいな。先に発案してくれたのは青木くんやったよね。

青木　お正月に坂本さんの家に挨拶に行って、そこで「学びの場をやりたいんです」って言ったら、坂本さんも「あー、ええんちゃう」って。それで開いたっていう。

坂本　きっかけがざっくりだよね（笑）。

青木　最初は「直感で」と言っていたんですが、最近はもう少し言語化できるようになってきました。それは「二つの原理を取り戻す」ということなんじゃないかと。今の社会が一つの原理に統一されすぎていることが、僕は社会の生きづらさに直結しているんじゃないかと思っています。特に資本の原理。すべてが数値化されて、生産性がない、つまり働けない人は社会的に存在意義がないよね、と言われてしまっている。そういう社会のなかで、じゃあ資本の原理を否定して、単純に社会主義や共産主義にしたらいいのかというとそうじゃない。もしくは「自給自足だ」と言っても、それは強い人にしかできないことで。そうじゃなくて、資本の原理だけじゃなく、もう一つの原理を取り戻して、その二つの間を行ったり来たりしながら、それぞれにとって心地がいいと思う生活を作っていくことが大事なんじゃないかと思ったんです。そこでなぜもう一つの原理を取り戻す必要があるのかというと、そもそも人類は二つの原理で生きてきたんです。これは人類学的にも言われていることで、文明と自然とか、昼と夜とか、ハレとケといった二つの原理を持ちながら人間は生きてきた。それが近代になって一つの原理だけに統一されていくことになった。そこがやっぱり問題なんじゃないかと思うんです。そこで山學院というのは、現代の支配的な原理が通用しない一種の「異界」なんだと考えています。山中他界観なんて言いますけれど、今の社会のルールが適用されないような場所をあえて作ることによって、二つの原理を取り戻したい。そういう思いがあります。とはいえ、やっぱりショッピングモールに行ったり、あのかっこいいスニーカー欲しい、とかあるじゃないですか。そういう欲望というか、資本の原理の中で欲しいものが手に入るということは現代社会の進歩でもあるから、頭から否定するもんじゃないとも思っています。だけど、そこだけになってしまうと、しんどい状況が生まれてしまう。これって「自然」に関することなんですよね。例えばメンタルヘルスの問題。オーバーワークでしんどくなってしまうというのは、身体という内なる自然が社会にうまく適用できていないから。自分たちの生活の中に、まずは自然の原理を取り戻すことが必要なんじゃないかなと。このために山學院を作りたかったんだ、と気がついてきました。

坂本　早くもまとまった（笑）。山學院って、これまで（2021年までに）オフラインで二回、オンラインで一回開催しているんですね。やってみてすごく感じているのは、なかなか日常の中で一つのテーマについて長く、強く、深く考える時間がない、ということ。この山學院は参加者を山奥に一泊二日で拘束して、一つのテーマについてずっと議論し続けるような場なわけです。僕自身も、悩む時間っていままでこんなにも取れていなかったのかって実感したんです。それがもしかしたら、もう一つの原理の入り口になるのかもしれない。少なくとも我々が山學院を通して提供できるものは、少し強靭な思考というか、長く一つのことに対して自分の意識を割いて考える時間だと思うんです。

――山奥に拘束ということですが、そもそもお二人が東吉野村に移られたきっかけはなんだったんでしょうか。

坂本　僕はデザイン業でフリーランスになって2年目くらいに体を壊して、東吉野村に引っ込んだって感じなんですよ。だからそれこそ、意思を持ったキラキラした理由ではなく、まさに撤退だったわけです。というかもう「都落ち」って感じでした、正直。その当時の感覚は、自分はデザインで身を立てて、なんなら六本木のレジデンスに住んでやると思っていたので。

――そうなんですか(笑)。

坂本　いやいや、本気でそう思っていたんですよ。それが、こんな田舎でどうするんだ、みたいな。そこで暮らしていると、かっこいいスニーカーじゃないけど、都市で大枚をはたいて買った靴がどんどんカビていったり虫にくわれたりして。そういう体験をすると、なんかもう自分のお金で稼いで買ったものなんてもうゴミやな、みたいな気持ちになってくるんです。その靴って、別に暖かくもないし、山道は歩きづらいわけで。だからそのあたりで、いわゆるもうひとつの原理で生きる世界というものに強制送還されていきました。そうして過ごしているうちに、だんだん……、なんていうか対比されていくわけです。評価の仕方がもう一つできることで、元々いた世界の滑稽さがわかってくる。けれども、もちろんこっち側の、いわゆる山間地域のおかしさもあるんです。そこでどっちが自分に合っていたかと言うと、僕の場合は山の中の方が合っていた。それが合わない人もいると思うんですよ。そういう意味で我々オフィスキャンプとか、ルチャ・リブロとか、山學院もそうなんですけど、一度試してもらうための場の提供を、ずっとやり続けていると自分では思っているんですね。今回の山岳新校も、旅行でもいいので少し勇気を出して来てもらえると、疑似体験することが可能なんじゃないかなと思います。それを繰り返していく中で、自分が気持ちの良いところに落ち着いてもらったらいいと思うんですよ。山の中だから自給自足の暮らしをしなきゃいけない、なんてこともない。僕自身、自然の中で積極的に活動しているわけでもなくて、東京日帰りを何回もやっていたような時期があったり、本当にそういう暮らしなんですよ。山の中に生活環境を持っているってだけで、その山の中のものだけで暮らしているわけじゃないけど、僕にとってはそのバランスが合うんですよね。そうやっていろんなグラデーションの中で、自分たちが暮らすとか、働くを選べればいいと思っています。

青木　僕もまさに同じような状況で体調が悪くなって移住しました。その経緯は本にもまとめました（詳しくは『彼岸の図書館』（夕書房）参照）。あえて「もう一つの原理」について付け加えるとしたら、就労支援の仕事の経験です。これはなかなか面白い仕事で、いまの資本主義の真ん中で働くとオーバーワークでしんどいなというときに、その人間の尊厳を守りつつ働く社会を作っていこうという活動でもあるんですね。この仕事から得ることがたくさんありました。

撤退とは下野すること

――山岳新校のテーマは「撤退」ということですが、山村である東吉野村を拠点とされているお二人はこの言葉をどのように捉えていますか？

青木　以前、『撤退論』（内田樹編，晶文社）に「下野の倫理とエンパワメント」という文章を寄稿したんです。僕は「撤退」というと「引き返す」みたいなニュアンスを感じていたので、それよりも「下野」という言葉のもつ「地に足をつける」といったニュアンスを主張しました。

坂本　確かに撤退っていうと、今ある作戦行動から撤退して逃げるという感じがするけれど、下野というとニュアンスが変わるね。

青木　撤退というと、勝ち目のある作戦に変更するという感じがします。でも僕も坂本さんも、勝てそうな作戦に変更したというより社会に過剰適応して身体を壊したから、取り急ぎ安全なところに避難する、という感じで東吉野村に越してきたと思うんです。結果として体調も回復してきて。その先にあったのは「勝てそうな作戦へのシフト」ではなく、「作戦を立ててやっていくことの無意味さ」みたいなものだったことに気づいたんじゃないかなと。

坂本　撤退と聞くと、その状況のみにフォーカスを当てているように感じるけど、その後の話というか、撤退後どうするのかがみんな違っているということだね。

青木　そうですね。以前は僕も坂本さんもキャリアアップなど、ミッションを遂行して攻めるイメージで生きていたような気がします。ただ体調を崩して東吉野村に引っ越してからは、攻めとか守りではない違う次元、勝ち負けではないレイヤーにいる気がする。どちらのレイヤーに価値があるとかではなく、そういう価値判断をいったん抜きにして、野に下る、地に足をつけるみたいなことを、下野と呼ぶのはどうだろうという提案なんです。あんまり短期的に勝ち負けを考えない方が、長期的に見て生物として生き残っていけるんじゃないか。

坂本　確かにそうやな。それ以前に、そもそも軍事的用語でたとえてしまうのがどうなんかなとも思うよね。それがはまってしまう世の中の方がタフやなと思う。改めて考えると、『北斗の拳』みたいに俺らは世紀末を生きてるのか、と。もうちょっと違うものを目指していたんじゃないのか。一応、2025年の万博に向かって日本は進んでいるけれど、かつての万博は「人類の進歩と調和」みたいなタイトルだったよな。

青木　1970年の大阪万博のテーマはそうでしたよね。

坂本　かつてはそれくらい壮大なテーマを掲げていたことを考えると、なんか知らんまにきな臭くなってしまった感じはあるよね。撤退と聞いたときにみんながもつ違和感の一つって、そこなんじゃないかな。いま生きている世の中の前提が、戦い続けることにある。それに気づかされて、いやそうじゃないと思いたいけど、そうだと思う部分もある。そこに「ざわっ」てするんやろうなと思う。だからあまり撤退という言葉を使いたくないのかもね。

山村で気づく退行的な価値

青木　そういう意味でいうと、「みちのり」というプログラムが山岳新校の中にあるじゃないですか。その１日目に僕らもお話をして、その日の終わりの打ち上げに行ったんですよね。年齢もバラバラ、男女比も半々か女性の方が多いかもしれない団体が打ち上げをしている状況で、食堂の村のおばちゃんに「どういう団体なんですか？」って聞かれたんですよ。そのとき、林尚之先生が答えたのか、そもそも帳簿の登録のときに書いたのか分からないんですけど、撤退という言葉がおばちゃんの耳に入ったらしいんですよ。「撤退ってどういうことなんですか？」って。先生が説明したら、「あ、そうなんですか」と。「私はてっきりこの村から人々を撤退させるためにやってきた、ひとさらいみたいな感じなのかと思いました」って。

坂本　過激派やな（笑）。

青木　今のコンパクトシティにしても、過疎の村には住むことができないから撤退しようという動きがありますよね。その場合の撤退の行き先は、都市になる。たぶんこの方がマジョリティなんです。でも僕たちは撤退するぞと言って都市ではなく村に来ている。普通に考えると理解できないですよね。

坂本　力学が逆の方に働いてる感じがするね。

青木　だから二つのベクトルが交差しているように思います。戦後社会は60年代の高度経済成長期があって、完全にベクトルは都市に向かっていました。その経済成長の延長戦上にある部分が今もある。それが2025年の大阪万博だったり、リニアモーターカーだったりする。いまだに日本政府は成長型ナントカと掲げますよね。成長型というのは、「経済成長の延長にある」という意味なんですよね。一方の我々は、経済成長には限界が来ていて、気候変動にせよ、これだけ自殺者や精神疾患の人が増えていることにせよ、それらに対して、経済成長を目指す社会のあり方自体が間違っているのではないか、そういうところから撤退しよう、というふうに考えています。戦後社会のまま行くのか、それともちょっと立ち止まって、これはまずいよねと気づいて考えるのか。ここ10年くらい、その交差点にいるんじゃないかと思いますね。

坂本　戦後って日本がすごい勢いで作り変えられた時代だと思っていて。立ち止まることが許されんかったというか、追い立てられるように国がすごいスピードで変わっていった。でも撤退も含めて、退行的なものが持っている価値も確かにあるじゃないですか。歴史を振り返ってみても、ちっちゃくできることの良さ、ゆっくりできることの良さに気づけないままに、この何十年かは一方の価値のみを追及してずっと進んできたと思うねんな。そこから俺らは良くも悪くも抜け出して、全然違う場所に身を置いてみたら、なんか別にそうじゃないのもいいよねっていうかさ。人が少ないのって別に悪い話ばっかりじゃないよね、家賃安いのいいよね、みたいな。この場所で暮らしているとそうじゃない価値に気づけることも多いじゃないですか。もちろん世の中的に見て、過疎がよくないというのも分かる部分はあるけれど、他方で自律稼働しているおじちゃんおばちゃんを見ていると、インフラがなくなったからここに住まなくなるというよりは、おおむね自分たちでなんとかしはるんちゃうのと思うし、我々もそうできるようになったらいいよなと思うし。今回の撤退という言葉の中で、一つは青木くんが下野と言ったみたいに、もう一つ違った場に自分たちを定着させる、というのが意味として含まれてるだろうな、というのは思ってるねんな。

都市という舞台装置

――とはいえ急に自分の生き方を転換できる人ばかりではない気がします。

坂本　せやねん。だから今いるところでどう撤退的に自分の価値を転換させるのか、ということはあると思う。そういうものを手に入れるために、山村にちょっと来てまた都市に戻るみたいなことは意味があると思っていて。場を移すことでいろいろ手に入ることもあるし、今いるところで自分自身の捉え方や向き合い方を変えてみることで、なにより実社会に対してシリアスに向き合いすぎないのが大事なんじゃないかと思う。暮らし以外の部分、ありていに言うと仕事の部分にシリアスに向き合いすぎて、その時間が人生のほとんどを占めちゃう。それってそこまでシリアスにやる話だったっけというのが常々疑問で。言い方悪いですけど、「たかが仕事ちゃうん？」と。それよりも家族と囲む食卓の方が大事だったんじゃない？　隣に住んでいるおばあちゃんがさ、日が出ているうちは野良仕事をしてるんやけど、そういう生き方見てると思うのよ。本来、暮らし続ける糧を得るために、仕事をしているはずが、暮らし以上に仕事に向き合いすぎている。自分が思う暮らしが実現できるなら、仕事はそこそこでいいんじゃないか？　そんな風に価値基準はどんな場所にいても変えれるんだと思う。とはいえ、場が変わることでそれが変えやすくなるというのは、ある。

青木　僕はやっぱり場が変わることの効能を感じています。町にいたときは渦中にいる感じっていうのかな、そういうしんどさがありました。仕事というものにシリアスに向き合ってしまう気持ちも分かるんです。というのは、好き好んでシリアスに向き合っているわけではなくて、向き合わないといけないんじゃないかと思わされている。すべてはお金がないとなにもできないと思わせてくる現代社会の問題があります。

坂本　なんというか、そういう舞台設定ですよね。登場人物も含めて、みんなが真剣に演じているもんだから、なんだかやっぱりそこからなかなか降りられへんよね。

青木　都市はあらゆるものが商品化されているので、お金がすべての鍵になっている。お金があれば自由なんだけど、お金がないと何もできない。都市にいても、3〜4割はお金がなくても楽しくできる、7〜6割くらいはお金で買う、という風に自分の生活を組み立てられれば問題ないと思います。僕は埼玉県浦和市という都市で育ったせいか、生活に占めるお金とそれ以外の割合を自分で調整できなかった。なぜかというと、都市自体が自然を切り開いて人間が作ったものですよね。その中では人間が理解できないものは、基本的には存在しないんです。人間の価値基準で測れるものしか、都市の中には存在しないんです。

坂本　それを聞くとさ、ますます舞台装置っぽいよね。全部誰かが考えて、必要だと思うものを配置していて、必要ないものが排除されてる訳やん。その中の登場人物にずっとなっていると、そこから降りるのが難しいのは分かるよね。あまりにも舞台装置が精巧にできているしさ。

人の尺度では測れない自然

――そもそもなぜ、都市という舞台装置が必要だったのでしょうか。

青木　それはやはり、もともと人間が生きてきた世界の基本が自然だからではないかと思うんです。自然というのは人間の尺度では測れない。つまり自然の中にいると、人間は安心することができない。だからかつての人間は祈ることを通じて自然となんとか対話を試みて、安心を保とうとした。都市という舞台装置は、人間の価値尺度で測れるものに囲まれて安心して暮らしたいという人間の欲望の結果だと思います。ただ科学技術が発達したことで、人間と自然を比べたら、人間の方が圧倒的に力を持つようになってしまった。確かにダムを作ったことで人間はいっとき安心して生活できるようになったり、防波堤も同じですよね。一方で3.11などは、人間が自然を全てコントロールすることは難しいと気づく機会でもあったわけですけど。

坂本　人についても同じだと思う。こういうものが人であるというのを決めてしまうと、そうでないものは人でなくなってしまう。良き人間像がある一方で、自然の中にあるような、より動物的な人間像が認められていない。子どもや障害をもった人、ご老人など、より自然物に近い人達をあまりよしと思えない空間になってしまっている。

青木　都市空間における良い人間像は、動物的ではなく理性的であるという考えが強いですよね。それが社会人と呼ばれている。理性的であるというのは話が論理的に通じるということを意味していて、そういう人間が標準とされている。高齢者の認知症を恐れるというのは、理性的でなくなるからではないでしょうか。障害や子ども、女性の働き方についても同じことかなと。例えば子どもができるということは、体内の自然の部分が大きくなるということだから、理屈じゃないことが多くなる。外国人も言葉が通じないということで標準から外れてしまう。山村で暮らす中で「人間とは何か」を考えると、都市で想定している理性的な社会人というよりも、もうちょっと生き物に近い感じがする。だからこそ今までは地縁や血縁など、長い間近所だから認め合うとか、理屈じゃない部分でも結びついていた。お互いに認める人間像が幅広くとられていたんだと思うんです。どういう人を人間とするかという、ある種の人間観は、住んでいる場所やその社会の成り立ちで結構違うんじゃないですかね。

神を中心におく古代の都市

——青木さんは古代地中海の歴史を研究なさっていて、そのころから都市はあったわけですけれど、先ほどからのお話は時代を通じて都市に当てはまるものなのでしょうか。

青木　古代の都市と近代の都市を比べた時に、一番大きいのは近代科学があるかどうかだと思います。近代科学の特徴は場所に限定されない、普遍性があるということ。普遍性をもとに都市を作っているので、標準というのが成り立ちやすいんだと思います。地域に限定されない特性があるからこそ、理性という話になる。古代の都市で何が一番重要かというと、やはり神なんです。都市の中心には神殿があって、その神官が王になって、城壁や墓などを作る公共事業を担うんです。その神は一神教ではなく、都市ごとに神がいるので、普遍的とは呼べないのではないかなと。

坂本　土地の神が一番重要で、それを中心に決めていったということだよね。神が標準化されていないというのも面白いね。おそらくそれぞれの都市でちょっと違うんだろうね。たとえば奈良みたいに昔は都だったところは、都市だけど嫌な気がしないんですよ。鹿とかもいるし、人ならざるものがちゃんと共存しているから、意外と嫌じゃない。夜歩いていると虫の声が聞こえたりして、都市だけど自然の近くにあることを感じる。そういうのを取り入れる力が大事なんだろうなぁ。

青木　海外でも都市の中心に教会があったり、モスクやお寺があったり、人間の尺度を超えたものが中心にありますよね。一方で近代的な都市は宗教的なものではなく、人間が都市の中心になっているように思います。

坂本　そう考えると撤退って、人間だけのロジックから撤退している感じがあるね。都市というのはそれの顕在化したものの一つであって、根本にあるのは人が人だけのことを考えているということなんだろうね、おそらく。それが生んでいるいろんな良い部分もあるけど、しんどい部分もある。しんどい部分を過剰に感じる人はそこから撤退した方が少し楽に生きられるんじゃないの？ということなのかな。

青木　もう一歩考えてみると、都市が悪いわけじゃない。じゃあ何が悪いのかということですよね。

合理化による主客の逆転

青木　僕は人間の行為を人間の尺度で測るのは、悪いことじゃなくて、それはそうだよねと納得しています。ただ、テクノロジーを使って、人間のできないことまでも人間の尺度で測ろうとするのが良くないのではないかと思うんです。

坂本　どういうこと？　もうちょっと突っ込んで言うと？

青木　合理化とか効率性を高めるといったときに、ロボットのような働き方をした方が効率性は上がるんだけど、その働き方だと身体を壊してしまう。人間ができないくらいの効率性を人間に求めていることが良くないのではないかと。

坂本　なかにはそれで働ける人もいるからややこしいんだけどね。科学は同一性をもたらしたという目線で考えたときに、全ての人に対しても同じパフォーマンスを発揮できるでしょ、と見えてしまう。規格品みたいに人を見てしまうのが歪みを生んでいるよね。そして限りなく製品として扱えるように色んな仕組みができていった感じはするよね。

青木　テクノロジーの危険性はそこにあると思います。草刈りをするとき、鎌でやったら体力の限界を感じるけど、草刈り機を使うと全能感を感じるんです。

坂本　確かに自分が拡張している感じはあるよね。

青木　手段としてテクノロジーを使っていたはずなのに、テクノロジーによって操られているというか、逆転しているんです。

坂本　限界を超えてもやってしまうことはあるかも。自分はしんどいと思ってるけど、もう一畳分やったらキリいいやんと、自分のしんどいを超えてしまうことはある。

青木　本来ならここ刈らなくてもいいんだけど、刈っちゃうみたいな。これは完全に主従関係が逆転していると思うんです。それの延長線上に、例えばわれわれは予定を詰め込みすぎるということが起こっているんじゃないかと。十津川村までいくのに、3日かかると言われたらスケジュールの組み方も変わるはず。でも1日で行けるとなると、どんどん予定を詰め込んでしまう。移動している距離は一緒でも、身体にかかっている負荷は、移動速度によって増えているんじゃないかと思います。100㎞を3日と1日で比較したら、1日で移動する方が負荷が大きいのではないか。いつのまにか僕らはテクノロジーに使われているんです。

坂本　早く走れるものをわざわざ遅く走らせたりしない。正確に測れるものを、わざわざ雑に測ったりしない。

青木　短期的にみると経済合理性があるけれど、中長期的にみたときに、果たしてそれは合理的なのか。正確に測れるけど測らない、早く行けるけど行かない。これが撤退で下野なんですけど、何より僕たちもできていないという（笑）。

山岳信仰に人は何をもとめたのか

――都市と合理性のお話がありましたが、その合理性を超えた宗教性との関連という意味で、山岳信仰についてお二人はどう考えていますか。

坂本　そもそも山岳信仰というのは現代日本でいうと修験道がわかりやすいよね。その昔、修験道は一大ブームになって、街の人が大挙して山にきて、わざわざしんどいことをやっていた。ということは、その時代も都市では人が集まって暮らすことによって生まれる軋轢や垢があったんじゃないかと思う。だからそうでない山の原理が働いているところに行って、人間は小さい生き物なんだと、全能感を捨てに行くということに修験道は使われていたのではないか。その時代ですらそれが必要だったのに、今はもっと必要なのではないかと思う。

青木　僕の思う山岳信仰はちょっと違っていて。ちゃんと調べたわけではないんですけど、むしろ全能感を手に入れるために山に行っていたのではないかと思ったんです。かつて山はある種恐ろしいものであり、人智を超えたものだった。その人智を超えたもの中に入ることで、人間は人間のもっている有限性を超える。そのパワーを得たくて山に入っていたのではないかと思うんです。僕と坂本さんの意見、どちらが正しいとかではなく、どっちもあったと思います。

坂本　そういう部分も確かにあるかも。修験道に行ったら修行のカリキュラムが組まれているから、身体的に強くなるというのはあったやろうし。街の暮らしの中では到底しないような過酷な修行があったわけで。身体をいまよりも強くする、越えていくというのは要素として持っていたと思う。

青木　僕のイメージになっちゃうんですけど、そっちの方が山岳信仰は近いのではないかと思うんですよね。

坂本　山岳信仰＝修験道ではないからね。修験道はおそらくそういう部分があったけど、山岳信仰では山を信仰の対象とするという、広い意味で考えると、連続性というのかな、山がそこにあり続けることによって、死者や神との連続性を再確認するというのもあると思う。

青木　そう思います。

自然の中では「ないものがある」

青木　都市にいるとその連続性を感じにくく、何かほしいから買う、何かほしいから利用するというように主従関係が固定化されています。一方で、先ほどの草刈り機に使われている話は、一種のアニミズム的なことなのかもしれない。アニミズムはすべてのものに魂や精霊が宿っている、すべてのものと連続性をもつことを意味します。同列で交換可能、それがアニミズムの本質的な部分です。草刈り機に魂があると思ったときに、草刈り機に使われている自分というのも、草刈り機と交換可能であってもおかしくない。でもそれを感じられるのは自然の中で一心不乱にやることも関係している気がするんです。

坂本　なんかあるやろな、それ。

青木　村にいると、都市にいるときよりも交換可能性を感じるんです。自分が全部やらなくても草刈り機がやってくれる、という感じ。

坂本　そういう倒錯する感じって、芸能の世界にも多いと思う。お能の世界など舞手が舞っているうちに、自分と入れ替わったものが両方存在する世界線がうまれていく。見ている側もそれに吸い込まれていく。それが何十にも入れ子構造になっていくのが、日本の古来の芸能にはあると思う。

根っこでは、神という存在に対して捧げている。神というのはずっとそこに鎮座しているわけではなくて、お社や神輿などにのってやってくるもの。来た人をもてなすというのが原型にあるような気がする。やってるうちに倒錯していって、どっちやったっけってなるくらい。

青木　それって社会の外部というか、まず人ならざるものが存在することを前提にしていますよね。社会の外部としての自然とか、あの世とか。

坂本　神という存在がいる世界を考えたとき、それは外部の世界からやってきて帰っていくと考えることができる。われわれのAという世界と神々が座するBという世界があって、その行き来があることが、人を健全に保つための調整弁になっていたんだと思う。Aという世界で正しいことが完結できて、すべてにおいて光が当たり続け人の正の側面のみの清浄な世界になったとして、それによって発生する窮屈さ、人の負の側面がないかのようにしてしまうことが閉塞感を生んでいるように思う。よくわからないものがいるよ、というのはすごく重要なことだと思う。意外とそれが文化芸能の起点になっているんちゃうかと思うよね。

青木　ちょっと話は飛躍しますけど、外部のものを内部に持ってくること、それがクリエイティブということではないんでしょうか？

坂本　人に対して人がもてなしているうちは、そういう発想にはならないよね。人でないものが来るからこそ、自分たちの外に対象があるからこそ、もてなしたいという気持ちになるんだと思う。

青木　現代ではクリエイティブであるということが、売れる商品を作り出せること、と矮小化されているんですよね。本当はそうではなくて、人間と外の世界をつなぐことができること、みたいな感じなのではないかと思います。

坂本　だから今ないものをあると思える力こそが創造なのでは？　今ないものがあるとより強く信じられる力が強いと創造性は高く発揮されるんちゃ

うかなぁ。

青木　ないものがあると信じることがクリエイティブなら、自然が多いところにいた方が人間にないものを信じる力が強くなるのかもしれない。

坂本　自然に囲まれていると、ないものがある状況をまざまざと見せつけられる、そういう舞台設定になっているよね。都市にいて感嘆する瞬間は、すげえことを人はできるんやなという感嘆だけど、こういう山村での感嘆は、人ならざるものの御業。こんな綺麗なものが世の中にはあるんや、と人にないものを感じる美しさみたいなものに満ち溢れている。そういう驚きは山村の方があるな。

青木　だから場所を移すことの良いことの一つは、今はまだ存在しないんだけども世界のどこかには存在するという可能性を感じられること。都市では、ないものは受け取れない。ないものはないんです。一方山村では、ないものがありそうなんだけど、それが何かは分からない状態に置かれる。山でも、海でも、田んぼの作業でもそうかもしれない。何か流れがあって、それがぱっと掴めると、あっ、この感覚かもと思う。東吉野に越してきて、ないものがあった感覚をつかめたところに、豊かさを感じています。村に来て、この感覚かもというものに出会ってから町に戻ったら、それはそれでまた違って見えるものがあるかもしれない。

「ないものがある」に気づく力

――その感覚を町で感じるためのヒントはあるのでしょうか。

坂本　たとえば神が中心にあるとか、いくつかキーワードがあるよね。長野県の善光寺みたいに寺が中心になっていたり、奈良も東大寺・興福寺・春日山の霊力のもとにある都のような気もする。そういう目で見たときの都市は、またおもしろい展開が見えてきそう。

青木　そういう視点を山村で手に入れることもできるかもしれない。

坂本　俺らも短絡的に都市批判、地方賛歌をしたいわけではないからね。ただ地方にいると「ないものがある」と思える機会に出くわすことが多い。自然の多い場所はそういう感覚をつかむのに適しているんやろうな。その一方で、「ないものがない」世界に生きていると、適当になれずシリアスになってしまうのも分かるわ。

青木　教会やモスクや寺院といった、人間の尺度が適用できない宗教的な施設が、世界的に考えると都市の中心にはあるわけですよね。古来、日本人は人間が作ったものに対してだけではなくて、山という自然物に対しても信仰を抱いていたんでしょう。都市に住んでいて、人間が作った商品にばかり意識が向いて、家賃や生活費といった暮らしの計算を積み上げていると、「ないものはない」ことをどんどん信じてしまいます。それを防ぐには、視線を人工物ではなく自然物に向けることが重要なのではないかと。山なのか川なのか、都市のなかでも自然発生的に生まれているものがあるので、設計して作られたものではないものに意図的に視線を向けると、「ないものがあるんじゃないか」という感覚を得られる可能性は上がるのではないですかね。

坂本　なるほど、おもしろいなぁ。やっぱり都市でも、俺が好きな場所は川が流れているところやもんね。それは明確にそう。岩手とか仙台とか。それなりの規模がある都市なんだけど、川があるだけでとたんに和む気がする。それはわかりやすく自然そのものやもんね。そういうものが目に入るようにしていると、心が安定するのかも。撤退というと都市的環境から地方への撤退というムードがあるけど、それだけの話ではないだろうね。

青木　僕が撤退じゃなくて下野だと言ったのは、人間のレイヤーでものごとを語るのではなく、人間を超えたもののレイヤーまで降りていくという風に思ったからなんです。

坂本　でも地方に住んでいる人がみんなその感覚をもっているとも限らない。地方にいながら人間のレイヤーで生きている人も多い。大事なのは、「ないものがある」ということに気づけること。見えないものがあるということが分かること。その力を手に入れることなんちゃうかなぁと。たぶん、そこからしか始まらんよな。

自分と超越的なものが同期する感覚

——先ほど草刈り機のお話で「アニミズム」という言葉が出てきましたが、山學院2022のテーマでもある「アニミズム」についてはどのように考えていますか？

青木　一つ明らかなのは、草刈り機と人間の関係と、人間と神の関係は違うよなと。

坂本　分かりやすく全然違うのは、実体としてあるのかないのか、なのでは。神はそもそも見えないし。

青木　あ、神は見えないですか？

坂本　少なくとも俺には見えへんな。

青木　見えないけど感じる瞬間はありますよね。それを神と呼ぶかどうかは分かりませんけど。どんな瞬間に神というか超越的なものを感じて、どういう風に感じますか？

坂本　俺は、雨があがって晴れて全体的にぴかっとしてるとか、雪のときとか、世界がおそろしく綺麗に見える瞬間があって、その瞬間にめちゃくちゃ感じる。綺麗というのは主観ではあるけれど。山頂とか滝とかにも感じるかな。

青木　圧倒的なものでしょうか？

坂本　うーん、美というもの、圧倒的ということが混ざり合った感じ。

青木　主に風景に対して感じますか？

坂本　そこに身をおいた瞬間かな。家の前の川でも感じる瞬間はある。常日頃見ているときは当たり前でも、「これは！」という、綺麗だと思う瞬間が何回もある。すごい満月の夜とか。自然現象の一瞬に感じるときが多いかもな。

青木　たとえば坂本さんが建築を設計しているときやプロジェクトを考えているときなど、創作をしているときはどうですか？　今のは坂本さんの外部に超越的なものを感じるということのような気がするのですが、内部には感じないですか？

坂本　確かに、降りてくるというのはあるかもしれない。書いているというより書かされてる。考えてるというより生まれてきた、自分の脳の外から湧いてきたというのも、時々感じることがあるね。

青木　僕はまさにそれで、主従関係が逆になるという感じのときに感じます。言うなれば自動筆記状態のとき。

坂本　のめりこんで書いているときとか？

青木　そういうときって、考えて何かをやっていないんですよね。理性とか自分はここにいるぞとかいう意識がなくても、何か自分が活動している、生存している。それを感じるときに何か超越的なものを感じています。

坂本　自分をコントロールするバトンが自分じゃないところにいった、という感じはあるかもな。自分という乗り物を、いつもは俺が運転しているけど、なんらかのきっかけで別の何かが運転しているという現象。

青木　僕の場合は文章を悩みながら書いていて、どこかのタイミングで意識が外れて自動筆記状態になったりするんです。そういうときは超越的なものを感じることがあるし、それは感じに行こうとして感じていることもある。感嘆する風景はふいにやってくるものだと思うけれど、自分の内側にあるものと超越的なものが同期する感じも受けることがある。自分ではどうにもならないしコントロールできない状態。超越的なものが、神なのかそうでないのかも分からない。同期したことによって良いものが生まれるかも分からない。同期したことによって社会の中で軋轢をうむと障害になってしまう可能性もある。もしかしたらアニミズムは、そういう感覚と近いところにあるものかもしれません。アニミズムの一つの例として、アイヌの熊送り（イオマンテ）では、熊というのは熊の毛皮をきた人、魂レベルでは人間であって、交換可能だということだそうです。物質的には違うけれど、違うレベルで交換可能と感じることがアニミズムなんじゃないか。

アニミズム的世界観

坂本　交換可能というのは、コミュニケーションとはまた別？　その存在も自分なのかもと思うということ？

青木　自分というより、同じ生き物である、同じものだと思う、ということなんですかね。自分がもしかしたら向こう側かもしれないというか。

坂本　その対象が熊とか生物以外のものにも適用されると、八百万になっていくね。人も神であるということになってくるのかな？

青木　そうですよね。

坂本　八百万ってそういうことだよね。草履にも石にも神がおわすと。すべからくそれが交換可能と思うと、人も一人の神である。その目線でみると神は遍在しているよね。そう思うとアニミズムってすごい話やなぁ。

青木　ただ、この世とあの世は別にあることは理解している。この世で人間が神であるという話ではないと思うんです。この世では人間は人間だし、熊は熊だし、石は石。でも、あの世にいくとすべからく神であるということだと思う。

坂本　そうか、この世ですべて神だとなると、それは大変なことになるもんな。すべてに神が内包されているという考え方。神というなんらかの存在があって、それがいろんなものに通底している、そういう意味での全体性というのはあるのかもしれない。神という一つの存在でもあるし、細かく一つずつの物でもある。全であり個である、という概念なんやね。

青木　これは一神教的な神の考え方ではないですよね。「A Creator」はすべてを作り出した創造主で、自分たちは被造物と捉えるわけですから。

坂本　自分たちは作られているから、非対称の関係になるもんな。

青木　他方でアニミズムの関係は対称的なんですよね。

坂本　全部はつながりをもったものである、と思えてくる。草刈り機ですら。

青木　草刈り機をなんでそう思うかというと、なかなかエンジンがかからなくて思い通りにならないからだと思うんです。思い通りになると主従関係がはっきりしてしまうから、対称的な等価の関係だとは思えないと思います。

坂本　コントローラブルだとそうは思わない、と。

青木　思うようにならないからこそ、アニミズム的な神を感じるかもしれない。

坂本　なんで？

青木　完全にコントロールできたら道具になってしまう。神は道具じゃないからですかね。

坂本　分かるような、分からんようなやな。

青木　草刈り機と人間の関係と、人間と神の関係が違うと思ったのは、この１点ですね。神はコントロールできない。本来の草刈り機はコントロールできるもの。それはやっぱり関係が違う。アニミズムの関係は対称的なもので主従関係ではない。僕としてはそれがキーポイントな気がします。

アニミズム的世界観とSDGsの違い

坂本　アニミズムというのは日本古来の話でもなく、諸外国にもあるよね？

青木　イギリスの宗教学者タイラーが提唱した用語です。プリミティブな人びとは、あらゆるものに魂が宿っていると考えていた。もともとは一神教の人からみると、原始的で劣っている民族の考え方がアニミズムだと言われていました。

坂本　だったら青木くんは草刈り機をちゃんともてなしたほうがいい。もしかしたら自分だったかもしれないものを外にほったらかしたらよくないよね。そうやって考えるといろんなものの扱い方が変わるのがまた面白い。もてなすというか、大事にする仕方が変わるから。その転換が重要なんだろうし、原始的な人たちがそれを大事にしていたというのは、自然に近いところで暮らす人にとって大事なことが内包されているんじゃないかと思う。創造主とそれによって生み出されたものと、存在するものはすべからく自分もしくは八百万の神だったかもしれないという考え方は対照的だね。

青木　そういう意味では、地球上のリソースが枯渇し、現在は資本主義が限界を迎えていることを考えると、一つ一つのものには魂が宿っていて、本当は人間とも交換可能だと思うような考え方の方が、これからの世界は成り立ちやすいようにも思います。モノは売れなくなると思いますけど。

坂本　そうやね、捨てにくくなりそうやな。捨てるという概念が昔のアニミズムの時代にあったのかも分からんね。

青木　一見、SDGsみたいな話で説明可能な気がするし、やっていることは変わらないと思うけれど、近代以前と近代以降だとその理路や発想の根本が違いますよね。プラスチックをやめて木にしましょうみたいな話ではない。プラスチックだろうが木だろうが、そこに魂が宿っていると考えるかどうかということですから。

坂本　結果的にはそれを大事にしようということだけど、順番が違うよね。ほっといたら俺たちが暮らせなくなるのでちゃんとやりましょうというのがSDGs。アニミズムは、すべからく自分かもしれないし神かもしれないから、そういう風に接した方がよくないですか、とおもてなしをする。社会を持続的にまわしたいからそうするのではなく、アニミズム的思想に立ったときにそうする方がいいよね、と。自己愛が拡張していって、自己愛＝全体愛、すべてのことになっていく、そういう概念。分かちがたくすべてが繋がっているものだと思うということ。

青木　SDGsはどこまでいっても人間中心的ですからね。

坂本　ほかの存在から見たら知ったこっちゃないことで。地球から見たら、お前らのためにいい感じの気温にしてるんちゃうけど、ってことやろ。氷河期とか、今はたまたま住みやすい気候が何百年か続いているだけで、億年単位の時間で見たら、ごく一瞬たまたまそうなってるだけ。根本的に気候変動は俺らのふるまいが変わるだけでそんなに変わるのかと俺は思ってたりするけどね。

青木　二酸化炭素の排出量を何％に保ったから地球環境が守れるのかというと……。

坂本　そんなシンプルな話でしたっけ？ってことよ。

青木　それも人間中心主義ですよね。

アニミズムは学ぶだけでは到達できない

坂本　それより根本的なスタンスの部分を整えた方がいいんじゃないかなと思う。この間、映画「天気の子」を見たのよ。俺は公開すぐには見られないタイプで寝かしてたんだけど（笑）。今頃見たら、気候変動に対する新海誠監督の自分なりの考えの発露なのではないかと思った。ストーリーとしては、一人の女の子が天気を操れるようになって、雨の降り続く世界でひと時の晴れ間を作ることができる。でも晴れ間を作り続けた結果として彼女はこの世にいられない存在になってしまう。別の世界にいっちゃった彼女を、ある男の子が元の世界に連れ戻す。ずっと雨のままでいいからあなたと一緒にいたいです、と。人が住めない世の中になったとしても、そこにいる人の幸せを犠牲にしてまで、環境を守らないといけないんだっけ。主従が逆なんじゃない？という物語が描かれていると思った。そこに関して、俺は新海誠監督と発想が近いと思う。明日世界が変わるとしても、その前までは健やかに暮らせた方がよくない？誰か一人が不幸せになって世界が保たれるんだったら、全員が幸せで世界が終わるほうが良くない？と思ってしまう。

青木　どこまで人間中心に社会を考えるのかといいつつ、でも社会を考えるということは、どこまでいっても人間中心ですよね。地球環境のことを考えているようなふりをして、結局は人間のことしか考えていないんだと思います。山學院の本番で島薗先生にそのあたり聞いてみましょうか。オウム真理教が地下鉄サリン事件を興したときに、ある種世界を救うという大義名分を彼らは掲げていたわけじゃないですか。

坂本　世界が正しくあるために自己を犠牲にしたり、何かを犠牲にするというのはずれてるよね。世界というものは本来自分の中にしかないのに、外側の世界ばかりを整えても、自己の中のリアリティがなくなっていて、ガワだけを整えている感じがする。そもそも中身は幸せなんでしたっけ？　正しくあることがすべてになっているのは、考え方がマッチョやと思う。ある種、一神教的なのかもしれない。そういう風に世界を正しくすることができると思ってしまう、傲慢さを感じる。

青木　都市についての話でしていた、人間が描いている都市という舞台設計を全世界にも拡張しているってことですね。

坂本　A+B＝Cみたいな話がそうするとまかり通っちゃう訳よね。そんなイージーな世界じゃないんじゃない？って思う。そんな簡単な公式で世界が説明できるんだったらこんな大変なことはない。アニミズムって真剣に考えれば考えるほど、わぁーってなるねんな。え、それやばいなって。あれもそれも全部そうなん？ってなって、わぁーってなるわ。

青木　危険な思想ってことですか？

坂本　いや、あれもそれも全部、自分であり神なのかと思うとわぁーってなるって感じ。

青木　わぁーってなるってなんですか（笑）。でもアニミズムでいう神は全知全能ではないですよ。

坂本　そやね、仮に自分かもしれないと思うと、推して知るべしやな。カンペキではないし、弱い部分もある。

青木　僕はそもそも人類は二つの原理で生きていたという話をよくするんですが、アニミズムの話はB面（あの世・彼岸）として理解しなければならないと思います。A面のこの世でアニミズムを発動させたら大変。彼岸で交換可能と感じるからこそ、全能感につながるんです。

坂本　良い悪いではなく、すごい概念やなと思うわ。

青木　そういう時間や場所をもつのは大事だなと思います。

坂本　良い意味でも、わぁーってなるわ。俺に関係ないことは世の中にはないんだなと思う。非常におもしろいですね、やっぱり。俺らは対象的な概念として語り合っているから、アニミズムの中にいる人ではないじゃないですか。でもアニミズムを信じて生きてきた人もいるし、いまもこの世の中にもいると思うと、すごい。

青木　でも彼岸のBの世界だけで生きていたわけでもなくて、此岸のAの世界もあるから。

坂本　理解するというより、彼らは世界をそういうもんだと思ってるわけだから。生まれてからずっとアニミズム的世界で生きている人は、海外も含めてきっといるわけで。その人たちから見えている世界はどうなっているんだろう、その人と入れ替わってみたいと思う。明日からそれを信じることにしますとか俺らにはできないわけやん。

青木　それが学ぶということなのでは。

坂本　学ぶだけでは到達できない、身体的なものとして知覚できないといけない気がするんよなぁ。

青木　僕の感覚ではフェミニズムと同じ感覚なんです。女性にはなれないし、本当の生理痛とかは体感できないけど、どういう感じ方でどういう痛みがあって周期的にきてということは学べる。そういう風に、身体的に同じにはなれないのだけど、でも知識としては知っているということも重要な気がしています。知るということは、一種の敬意みたいなものなのかもしれない。

坂本　なんかでも、そのさみしさはあるよね。理解すればするほど体験しきれない溝を感じるというかさ。

青木　フェミニズムでもアニミズムでもない自分たちはなんなんだろうと。

坂本　俺はそこに漂泊を感じるなぁ。むしろ民俗学的に逆に観察されたいわ。

青木　近代人で、体調崩して、村に引っ越して、アニミズムとかを勉強しようとしている当事者なんじゃないですかね。都会でずっと暮らして満員電車に揺られて、という人とはだいぶ違うと思う。そういう意味ではわれわれは一か所にかちっとカテゴライズはされないけど、漂泊の民、中間的な人間なのではないですかね。

坂本　宗教とかの概念でいくと、漂泊の民やね。

青木　トリックスター、あっちの世界にもこっちの世界にもいけるみたいな。

坂本　さまよえるオランダ人ですよ。アニミズムの話やっぱおもろいなぁ。当日が楽しみになってきたわ。

「山學院」という場　2022年開校レポート

「山學院」とは？

山學院は「とりあえず、やってみる」を学ぶ場です。

山學院の学びは「やってみることの内容（コンテンツ）」を先生に教えてもらうのではなく、その「やり方（マナー）」を参加者同士で学び合う感じに近いです。その学びのポイントは、一から十までやることが決まっている「ルール」を求めるのではなく、各人が自分にしか分からない「ちょうどよさ」をヒントにアイデアを形作ることにあります。これを一言でいうと、山學院の学則「コンテンツよりマナー、原理より程度」になります。

今回は宗教学者の島薗進さんをお迎えし、「それぞれのアニミズム」というタイトルでお話しを伺います。それをみんなでシェアし、それぞれの中でこれからを生きる知恵として、アニミズムの使い方を身につけていきましょう。

○ 2022年プログラム／テーマ「それぞれのアニミズム」

日付	時間	内容
12/17（土）	14:00 ～	それぞれのアニミズムトークセッション 島薗進（宗教学者）×青木真兵（ルチャ・リブロ）
	15:45 ～	グループワーク
	16:30 ～	フィードバック
	17:30 ～	やはた温泉 入浴
	19:00 ～	夕食・懇親会
12/18（日）	8:00 ～	朝食
	9:00 ～	昨日の振り返り
	10:00 ～	全体振り返りトーク
	12:00 ～	昼食
	13:00 ～	クロージング・解散
	14:00 ～	オフィスキャンプ東吉野 ルチャ・リブロ見学（任意参加）

○ゲスト講師紹介

島薗進（宗教学者）

1948年東京都生まれ。東京大学文学部宗教学科卒業。同大学院人文科学研究科博士課程単位取得退学。東京大学名誉教授。上智大学グリーフケア研究所元所長。おもな研究領域は、近代日本宗教史、宗教理論、死生学。『宗教学の名著30』（筑摩書房）、『宗教ってなんだろう？』（平凡社）、『ともに悲嘆を生きる』（朝日選書）、『日本仏教の社会倫理』（岩波書店）など著書多数。

山學院スタッフコラム

八神実優さん

2022年12月17日（土）〜18日（日）にかけて、奈良県東吉野村で開催された「山學院2022」にスタッフとして参加しました。所用あって前日まで、東吉野村のお隣の曽爾村に滞在しており、曽爾村の屏風岩など力強い大地に圧倒されたり、村の方に古事記や日本書紀の時代から伝わる曽爾村の歴史についてお話を聞いたりした後に東吉野村へ移動しました。曽爾村で感じた、山々や大きな岩の織りなすどっしりとした地盤の大地とはまた異なり、東吉野村に一歩踏み入れるとそこは背の高い杉の木立が生い茂る山の中で、小川に沿って少しばかり開けた土地に集落が並びます。その集落をいくつも過ぎて車で30分ばかり走った先、東吉野村の中でも奥まった地域に、山學院2022の開催場所「ふるさと村」はありました。

山學院2022のテーマは「アニミズム」。都会から離れて山の中で考える時間をもつからこそ、頭で理解するだけではなく身体で感得することができそうなテーマです。本コラムでは、ゲストの島薗進先生とモデレーターの青木真兵さんの丸2日間におよぶお話より、印象に残ったエピソードを抜粋しながらアニミズムについて考えていきます。

まず、日本のアニミズムがどんな自然を対象としているかについて、中国との比較が面白かったので紹介します。島薗先生は日本のアニミズムは「草木虫魚」に向き合おうとしているとお話されていました。それは地を這うような自然であり、特に虫など動物界のなかでもかなり小さな動物に目を向けるような視点です。和歌や俳句などの芸術で古くから詠まれてきたのも、蝉の声や蛙の水音、男女の情愛など非常に繊細な感性を捉えたものが多くあります。一方で、中国の漢詩で描かれるのは天下国家の大きな話です。そこで描かれる自然は「天」であり、大きく偉大な存在として表現されています。漢詩で人間が表されるときも、民衆の悲しみや人生の虚しさなど、島薗先生の言葉を借りれば「視点がちょっと

偉そう」。人間の小ささや弱さ、それでいて人間を超えたものに関心を持ち続けるというのが、日本におけるアニミズムの一つの特徴のようです。

続いて言葉には2種類あるという話がありました。一つは耳の言葉、つまり音で聞く言葉。そして目の言葉、文字で読む言葉です。もともと言葉は耳のもので、声を聞いて受け取るものだったそうです。ところが現代では言葉は目で読むものとなり、何を読むかを選んで自ら距離をとることができてしまうようになりました。かつては葬式の際に歌う泣歌というものがあったそうですが、ここ40～50年で伝承されなくなってきているそうです。このように身体をつかって泣いていた時代と比較すると、現代の言葉は身体・感情の結びつきが弱まっているように思われます。そのように身体感覚をともなわなくなった言葉は、目に見えるものを超えたもの（死者など）に届くのだろうか、と疑問が呈されました。

お話の途中で、参加者の皆さんに感想や質問などを考えていただく時間をとったところ、掃除という行為の宗教との密接なつながりについてお話くださった参加者の方がいました。たしかに、寺院での毎朝の作務は掃除から始まりますし、神社でも落ち葉を掃くことは大事な行為です。最近ではミニマルライフや片付け、断捨離などが注目され、生き方の哲学とも通じた取り上げられ方をしています。島薗先生も「掃除には心を浄める作用がある」と注目されていました。掃除がもつ、人が気づかないところをしっかりとケアする精神は、目に見える範囲を超えたものを大切にするアニミズムの精神とも共通するところがありそうです。

最後に、子どもたちがもっているアニミズム的なものの見方について紹介します。子どもたちが車や電車を見て「ブーブー」というとき、車や電車そのものに命があると見ているという話がありました。どんなものにも命があるという感覚、そしてそのような命あるもの・心あるものが私たちを生かしてくれているという感覚そのものが、アニミズム的な世界観であるといいます。それがよく表れているのが「おかげさま」や「いただきます」という言葉です。ここで注意したいのは、命あるものが何かしてくれているから「ありがとう」ではない、ということです。人間にとって役に立つから「ありがとう」なのではなく、ただただ草木虫魚をはじめとする命あるものと、支えて支えられる関係性にあって生かされているから「ありがとう」なのです。島薗先生は望郷もアニミズムだとおっしゃいました。その心は、ふるさとを想うという行為は子どもの頃の気持ちに返るということに通じているからとのことです。人間は根っこの部分に、子どもの頃にもっていたアニミズム的なものの見方をずっと抱き続けているのかもしれません。

2日目の朝、ふるさと村は真っ白な銀世界に囲まれ、風も強く雪は斜めに降り、雪の華を咲かせた木々はバサバサを音を立てていました。東吉野村でもいつもより早いといわれた降雪に、山村で自然に囲まれた環境をあらためて実感することとなりました。帰れるかどうか心配しながら降りしきる雪を為すすべなくながめ、やがて雪が止んで真っ白な外の景色に日の光が反射して明るく照らすようになると、天気一つで一喜一憂する自分自身を見つけて、自然と深いところで関わりながら生きていくというアニミズムの片鱗を見つけたように思いました。都会では否応なく感性を塞ぎがちですが、このように自然と身近な繋がりを築くことで自然のなかの一部という感覚を少しばかり取り戻せるように思います。現代におけるアニミズムへの一歩は、感性を開いて人間を超えたものを繊細に感じ取るところから始まるのではないかと、山學院の2日間は教えてくれました。

仲子秀彦さん

奈良県は東吉野村という、いわゆる中山間地域で山學院は開催された。12月のまだ半ばだと言うのに地元の人も珍しいと話すほど雪が積もる、神秘的な日となった。

最寄駅から、車で40分かかる場所にある会場には、大阪、東京、神奈川と日本各地からの参加者が集まり「それぞれのアミニズム」について意見を交わした。島薗先生と青木さんの対談はアニミズムという一つのテーマをもとにしながら、アートや歴史の話から新興宗教はては中島みゆきにまで派生して（これだけを聞いても何のことかわからないのだけれど）それはそれは楽しかった。

山學院は学校ではない。参加したからと言って明確な何かを持ち帰る事ができるとも限らないし、なんなら参加した後の方がモヤモヤすることだってあるかもしれない。対談も道筋があるようで、でもどこへ向かうのかわからない不安定さもあって、全員がひとつ、またひとつと少しずつ見えてくる気づきのきっかけを集めながらそのバランスゲームを楽しんでいるような印象を持った。わからないがわからないままでもいい、まずやってみる。講演会とも、セミナーとも違う。そんな場を、そんなイベントを僕は他に知らない。

イベント開始時の自己紹介で参加の経緯を尋ねる場面があったのだが、それぞれ参加に至った経緯がバラバラだった。主催の青木さんや坂本さんとの繋がりから参加を決めた人、ゲストに迎えた先生のお話が聞けることを楽しみにして参加された人、さらには当日この場になってテーマを知った人もいた。山學院は先生と生徒という関係性では無く、全員が主体的な参加者として山學院を作っていて、参加者の姿勢が今までに経験したことないほどに積極的なのだ。僕は私的な活動のなかで、研修やセミナーのスタッフをすることもあるが、初めての場所で初めて会う人とのグループワークはどうしても空気が固くなってしまう。テーマが難しければなおさらだ。でも山學院は違った。グループに分けた瞬間からもうそれぞれの感想や意見を交わし合っていたのだ。開始の合図も終了時間も聞かぬ間に、自分の感じた事や普段の生活で疑問に思っている事、日々の違和感や何ができるのかという話しまで。僕はその光景を見て驚いたとともに、その熱量が羨ましかった。

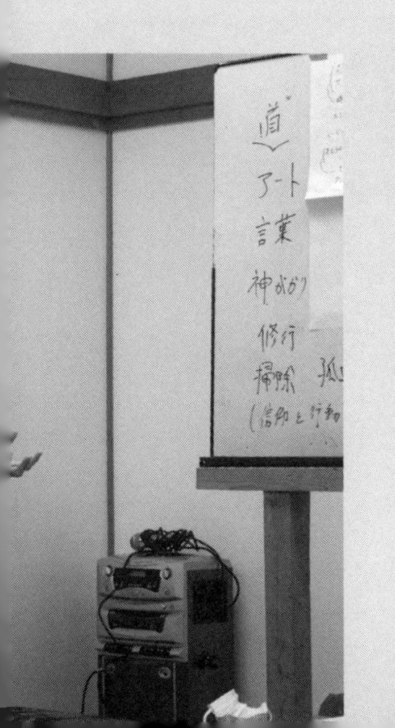

僕は1993年（平成5年）生まれで、物心ついた頃にはもうバブルは弾けていた。小学生くらいから地球温暖化に警鐘が鳴らされ、経済の面でも下降の一途。教育内容が改定されゆとり世代と呼ばれ、少子高齢化はどんどん進んでいった。つまり何が言いたいのかというと、僕らの世代は輝かしい時代を知らない、ということだ。一応知識として知ってはいるが、実感はない。「撤退ネイティブ」とでも名づけてもいいかもしれない。それゆえに『撤退学』にとても親近感を感じたし、言語化できなかった世代間における根底の考え方の違い、それを生んでいる原因の一つがそこにあると感じた。

また、90年代以降から2000年代生まれを「さとり世代」とも言うらしい。大きな夢や目標のためではなく、現実的かつ必要最低限の生活と幸せを得る事が行動原理なのだそうだ。確かに、思い当たる事がある。例えば少年誌の主人公のように大きな夢を掲げたとしたら、応援されるどころか失笑され、さらには袋叩きに合う可能性すらあった。なんとも熱い話なんてできない空気感があるのだ。抗えない怖さがあるのだ。山學院の青木さんや坂本さんは僕からみるとひょいとその壁を超えてみせる。思いついた考えや、まだ形になるまえのアイデアでも言葉にしてみせる。相手の言葉を受け止めて返す。当たり前のことのようだけれど、何度やろうとしても真似できない芸当なのである。

それゆえなのか、他人の意見を聞いて、自分の考えを話す。それを、否定するでもなく聞いてもらえて、当然のようにキャッチボールが繰り返される、山學院での時間が本当に楽しいと感じた。嬉しく感じたのだ。よく見知った友人間ですら話題を選び言葉を考えて、当たり障りのないように、と気を使うことがあるのに、昨日今日あったまだ見知らぬ誰かに、気づけば普段は絶対話さない身の上話しもしてしまっていた。話すことが怖くなかったのだ。それが、夕食会で飲んだハイボールのおかげだろうと言われたら返す言葉も無いほどに飲みすぎたのも事実なのだけれど、発言できる人が羨ましく、同じくらいに話してみたい、聞いてもらいたいという気持ちに駆られてしまったのだ。色んな意味で忘れられない夜になった。

山學院の2日目の朝、参加者それぞれの感想を聞く場面があった。聞くと、夕食会の後も自由参加で車座の意見交換会が夜な夜な行われていたそうだ。こんなにも違うもの同士が、同じ場所に集って意見を交わしあう。違うもの同士であるとわかり合っていて、でもどこかこの場所に集ったというつながりを感じていて。大人たちが、何かわからないけど確かにある違和感に対峙し向き合うその姿に、僕は熱気を帯びていた60年代の夢を見たのだ。ここから何かが始まるかもしれないという熱量が、ここなら何かが始まるかもしれないという熱量が、そこにあったのだ。

中森一輝さん

私と山學院

約2年前、当日はまだ大阪在住のサラリーマンだった私は、いくつかの要因が重なり、生まれ育った故郷、三重県名張市にUターン移住することを決意。妻と幼い息子と地方での新生活をスタートした。コロナ禍で在宅勤務制度が導入されたこともあり、職場への出勤は週の半分程度ではあったが、移住後約1年間は片道3時間弱の通勤でサラリーマンを続けつつ、並行して自分がやりたい事を生業とする“フリーランス”という働き方を模索していた。

過去に一度、転職経験はあるものの、サラリーマンであることに変わりなかった。そんな私にとってこの度の転職は、仕事という枠を超えて、生き方の転換に近いものだったと思う。根拠のない自信と行動力はある程度持ち合わせていたが、フリーランスとしての武器はほとんど持っておらず、道標となる存在を求めてWebやSNS等から情報収集する毎日。週末には可能な限り“気になる人”に会いに行き、今後の人生について相談した。その中で、直感的に「自分が求めている何かがありそうだ」と思ったのが、山學院主宰のひとりである坂本大祐氏であり、彼が代表を務める合同会社オフィスキャンプだった。

幸いにも私の住む場所からは車で約1時間の距離にあったので、「遊ぶように働く」をコンセプトとした山村のシェアオフィス「オフィスキャンプ東吉野」に通うことに。サラリーマン10年選手の私は、これまで生きてきた文化（環境）とは全く異なる“フリーランスのクリエイター集団”に飛び込んだ。強烈な場違い感と不安を覚えたのは言うまでもないが、それよりも新卒入社直後のようにワクワクした前向きな気持ちが優っていた。“まだ何者でもない自分”がこれからどんな人生を歩むことになるのか、道筋は見えていない状態で、“地方在住フリーランス”をスタートすることになった。

坂本氏との出会いから、瞬く間に数えきれないほどの“興味深い生き方をしている人たち”と知り合うことになる。一体何で生計を立てているのかわからない人がいたり、おそらく自分の父親と同世代であろうかという人が、まるで少年のようなピュアな心で物事を見ていたり。その体験は、語学留学で海外に住んでいたときのことを思い出すような新鮮で刺激的なものだった。ほどなくして青木真兵氏と出会い、そこから奈良県立大学の堀田新五郎教授をはじめとする撤退学研究ユニットの方々に繋がっていく。前職で教育機関にいたこともあり、教育や学びに対する興味関心が高い私は、ごく自然な流れで山學院（山岳新校）に参画することとなった。

「山岳新校」プロジェクトの根幹にある“撤退”（青木氏の言う“下野”）という考え方は、“地方移住と働き方のかたち”を模索していた頃の私がぼんやりと考えていたことと重なる点が多く、親近感を覚えた。また、この撤退学が実践的な学問であること、官民共同（フラットな関係性）のプロジェクトであることも魅力のひとつだ。さらに、私のような“何者でもない”人間が主体者になれる、その可能性を秘めている点も非常に重要である。

こちら側とあちら側

最近のメディアを見ていると「持ち家か賃貸、どちらが最善の選択か」といったように、「都市と地方」、「サラリーマンとフリーランス」といった二元論で語られることが多いように思う。身近なところでも「田舎に帰りたい気持ちはあるけど今の仕事を辞めるのは難しい」「副業やフリーランスって実際どうやって稼ぐの」といったことがよく話題にあがる。私自身がそうであったように、社会人生活＝サラリーマンという人からすると「フリーランス」の働き方は未知の世界であり、自分たちとは異なる“あちら側の人”という認識を持つ。都市部での生活が長い人からみた地方での生活も、同様に“あちら側”の世界に見えるのだろう。

住む場所と働き方、二つの軸をほぼ同時期に“反対側”に乗り換えた私は、周囲からするときっと興味深い存在なのだろう。特に働き方の部分では、どちらの側から見ても希少性の高いタイプのようだ。そんな私のことを坂本氏は「越境人材」と言った。こちら側とあちら側を行ったり来たりしながら、両側の橋渡しができる人材。例えるなら、日本語と英語が話せて、それぞれの国の文化を理解している“通訳”のような役割とも言えるだろうか。具体例を挙げると、クリエイターがあまり時間を割きたくないようなバックオフィス業務を抵抗なく引き受けることができたり、組織的な仕事の進め方が理解できることで、痒い所に手が伸びたり、これは誰がやるべきこと？という隙間に自分の仕事が作れたりする。これなら今までの経験も活かすことができるし、面白い働き方ができるかも、という自信が湧いたきっかけであった。

実際、サラリーマンを辞めて2年近く経過した今、仕事の半分は個人で直接請け負う写真業（いわゆるクリエイター的な仕事）で、残りの半分は合同会社オフィスキャンプが受注している様々なプロジェクトのバックオフィス業務（サラリーマン的な仕事）という二本柱になっている。

この二つの世界を行き来するという話に関連して、対談の中で青木氏は「此岸（A面）と彼岸（B面）」という言葉で説明している。さらには「自分たちが生きている世界とは対照にある存在を知ろうとすることが“学び”である」とも。今振り返ると、まさに私が坂本氏やフリーランスやクリエイターという存在に求めていた“何か”はこの“学び”だったのではないか、と思うようになった。

サラリーマンをしながら都市部に住んでいる人の多くは、A面が全てであるような錯覚に陥りやすい。自身もそれを象徴するような経験がある。20代前半、企業勤めをしていた私は、過労が原因で体調を壊してしまった。ドクターストップとなり、一定期間自宅療養を余儀なくされた。その頃、私は無意識に人気のない自然を求め、河原でただ水の流れを見つめながら数時間が経過している、そんなことを頻繁にしていた。この原体験から、「人間は本能的に自然を求めているが、忙しい日々の中でそれに気づけなくなってしまうもの」と考えるようになった。体調を壊す前の私は、坂本氏の言う都市という舞台装置に慣れきってしまい、自然の存在を意識できなくなっていたのかもしれない。当時の職場はオフィスビルが立ち並ぶ大阪市内にあり、周りを見渡せばどの部分を切り取っても人工的に作られている。もしかするとそこで起こる全ての事象は、照明や室温のように管理できる、あるいは管理されるべき対象だという感覚に陥っていたのかもしれない。それは働き方にも影響を与え、努力や工夫の先には必ず解決策があり、最終的にはより良い品質、良い数字に繋がると信じ、疑わなかったのかもしれない。実際は社会全体や経済状況によって、個人の努力では到底太刀打ちできないこともあるはずなのに。だからこそ、身体がSOSを出すギリギリのラインまで自主的に止められなかったし、辞められなかったのだろう。

サラリーマンというレールから外れて、東吉野村のような中山間地域での生活を目の当たりにすると、「いい塩梅」というバランス感覚が非常に重要であることに気づく。売上や利益を右肩上りに伸ばすことだけが正義ではないし、身体が資本という言葉の通り、働けなくなるというリスクを真摯に受け入れることができる。まずは生活するために必要なミニマムをどうやって得るかを考えることから始めるのだ。同時に有限な時間をどう使うのか、を考える。家族と過ごす時間、興味関心の対象について学ぶ時間、誰かのために使う時間など、お金や仕事に直結しない事柄にフォーカスすることが増えたように思う。加えて、このお金に直結しない時間が充実している人ほど、不思議と仕事も上手くいくのが地方の特徴なのかもしれないし、対談の中で青木氏が言及している「自己愛が拡張した先にある全体愛」を身につけている人が地方に多いのも納得できる。言い換えるとこれが「足るを知る」ということなのかもしれない。

山學院2022に参加して

「それぞれのアニミズム」をテーマに、職業も年齢も居住地もバラバラの参加者が、知り合ってわずか数時間で、積極的に意見を交わす不思議な空間。「とりあえず、やってみる、を学ぶ場」という山學院のコンセプトの通り、正解があるわけではないし、良し悪しの基準も人それぞれ。自分になかった発想や、感覚、考え方に触れ「なるほどなー」と思いながら、気づけば講師、スタッフ、参加者の垣根を超えた語らいは、夜遅くまで続いていた。

2日目の朝、窓の外は白銀の世界。初雪の東吉野村の景色を眺めながら、日常とは少し離れた別世界にいるような気持ちになった。アニミズムとは人間以外の存在に魂や霊の存在を認める考え方であり、東吉野村の冬はそれをダイレクトに感じるのに相応しい場所だ。当たり前のことだが、人間は自然を管理することはできないし、気候や天候には常に振り回されている。人の人生も社会も同じではないだろうか。どれだけ計画的に物事を進めても、思い通りにならないことの方が多い。そんな当たり前のことを真正面から受け入れるためには、自然を媒介にアニミズムに思いを馳せ、彼岸（B面）の存在を感じること。その感覚を定期的に磨くための行為が必要であると考える。

私は幸運にも、人生の大転換期に山學院（山岳新校）と接点を持つことができ、自身が体験したことの“感覚的”な部分を言語化してくれる人たちと出会うことができた。もし今まさに人生の転換期を迎えている人がいて、山學院や山岳新校との何らかの接点があれば、ぜひ一度“彼岸(B面)”を体験してみてほしい。当然、誰しもが一気に自分の生き方を転換できるわけではないと思うが、日頃なんとなく感じているモヤモヤや、上手く言葉にできない感覚を共有できる仲間、的確に言語化してくれる人と出会えるかもしれない。また、それをきっかけとして主体的に部分的撤退を実行できるのではないかと思う。

Photo: 中森一輝

芸術学校

PROGRAM 3

「芸術学校」は、
過去の美術教育や
アートプロジェクトとのつながりを踏まえながら、
ともになにかをやってみるというプロセスの中での
「学び合い」を目指しています。
（2023年以降に実施予定）

つながりの中で捉える「芸術学校」

西尾美也

山岳新校による三つの学校のうち、「芸術学校」の実践は2023年以降を予定しています。本書では実施レポートに変えて、「芸術学校」で行われようとしている学びの試みについて構想をまとめました。過去にあった美術教育の歴史を捉えながら、その形を模索しています。

（本記録は、2022年9月23日に行われたイベント「山岳新校、ひらきます」より再構成したものです。）

芸術学校の前身

芸術学校は2023年度に実施予定で、現在は構想の真っ最中です。悩みながら企画を進めているところです。

そんな中でまずは、過去に25年間だけ存在した伝説的な芸術学校の話をしたいと思います。私は美術家で、芸術が専門ですので、この山岳新校における芸術学校のあり方自体を、美術史とのつながりの中で考えていく必要があるだろうと捉えています（著者の過去の作品については、「奥大和における芸術実践と「最後」の練習」もご参照ください）。アートプロジェクトには、制作のプロセスを大切にすることや、社会的な文脈を捉えること、展示室の外で行う、ということも含めて、それが結果的に地域活性化につながる。そういう特徴があります。中でも、私が重視しているのは「なにかをやってみる」ということ。それを通じて世界を理解しようとすること。鑑賞者を参加者に変換する。アートプロジェクトではともに何かをやる。「ともに」というところが重要で、そこで行われていることが「学び合い」ということじゃないか。私の中でアートやアートプロジェクトの定義というのは学び合いそのものであるというふうに考えています。

そういったことは世界的な潮流の中で「ソーシャリー・エンゲイジド・アート」と言われています。芸術における教育は、今までは技術指導や、鑑識眼、解釈。そういうものを伝える場としてしか捉えられていませんでした。しかし本来は、アイデアや知識を共同で出し合って構築していくという創造的なパフォーマンスです。それによって、世界の理解に近づく。そういうものだと考えます。こうした芸術運動は過去にいくつもあるのですが、その中で「ブラック・マウンテン・カレッジ」という伝説的な芸術学校がありました。そこは学び合いとしてのアートが体現されていた場所だったんじゃないかなと考えています。音楽や造形、演劇というカリキュラムが芸術の専門教育ではなく一般教育として組まれていることはもちろん、かつ大事なのはコミュニティのメンバーが、全てに参加するということです。学生も、農場や建設工事、厨房の仕事を行う。さらにそこにジョン・ケージ、バックミンスター・フラーなど、錚々たる芸術家が講師として参加していたというのが「伝説的な」という所以になっています。私はもちろん、実際に体験はしていないのですが、理想的な環境だったんだろうなと想像しています。加えて、私個人の似たような体験もあります。山梨県白州町（現在の北杜市）というところで開催されていた「アートキャンプ白州」。これを主宰していたのは田中泯という舞踏家です。「身体気象農場」と名付けて、農作業での心身の使い方にこそ原点がある、というコンセプトで農業をやりながら合間で農業の動作をパフォーマンスに活かす。そんな活動でした。芸術祭としての「アートキャンプ白州」は1999年で終わっていますが、私が参加したのは2000年代でした。合宿形式で、みんなでテントを立てるところから始まって、汲み取り式のトイレを作ったりとか、あと裸足で目隠しをして森の中を歩いたり。本当に生活を共同で行って、その合間で身体表現をする。それは圧倒的な経験だったんです。そういうものこそが大事だというのを、直感的に感じていました。それをうまく言葉にしてくれているのがこの二人かなと思っているので紹介します。

プリミティブなモノやコトの中にこそ契機がある

まず鷲田清一さん。専門は哲学ですが、その方の言葉に「いのちの世話」というものがあります。京都市立芸術大学の学長になられたときの式辞で、人が生き物として生きるためにしなければならないことを、「税金やサーヴィス料を払って社会のシステムに委託することを幾世代かにわたり繰り返しているうち、みずからそれを担う能力をすっかり失ってしまっ」た、と言っています。もう一人の方は小山田徹さん。彼も同じ京都市立芸術大学の教員ですが、「謙虚さを取り戻す」というような言い方で、「効率的な右肩上がりの欲望とシステムが社会に浸透し、私たち個人の存在や身体性までも脅かされ」、人は「その辛さをごまかすために尊大になる」。だからこそ小山田さんは謙虚さを取り戻すことの必要性を訴えています。さらにそのためには、自然な変化や手仕事などの身体的な経験、共同作業などの集団の経験、食事や挨拶の作法など、プリミティブなモノやコトの中にこそ契機がある、とおっしゃっているんです。これだけ聞くと、いわゆる近代芸術の絵画や彫刻といったものからはかけ離れているようにも思われるかもしれませんが、アートの分野でもこういうことが関心として持たれているわけです。

実際に私も小山田徹さんをお招きして、一緒に奈良市内で「グリーン・マウンテン・カレッジ」というものを行ってきました。彼は「ダムタイプ」という、京都発の世界的に有名なパフォーマンスグループのメンバーの方でもありました。奈良公園や興福寺の五重塔が見える場所にテントを張って焚き火をして語り合うというイベントで、そこで各回、ゲスト講師を招いて、芸術とはそれほど関係のない、宇宙の話や男女の色恋の話、他にも人類学、サウンドスケープの話とか。そういう形でお互いに学び合っていくような試みです。

そこで一つ、奥大和の芸術学校は、「ブラック・マウンテン・カレッジ」や「グリーン・マウンテン・カレッジ」を経て、そういうものを奈良の共有財産として奥大和にも広げていく、より実践的な活動をするものとして構想を始めました。とはいえ課題もあります。金銭的な部分もそうですが、なにより、私自身もそうなのですが、同じ奈良でも市内と奥大和ではさまざまな「距離」があります。私や小山田さんが奥大和に行って、グリーン・マウンテン・カレッジをやるということ自体が、「外から持ってきたものをやっている」という感じが否めない。それが本当に、参加者も私達も楽しいのか。それをどう克服するかが課題です。

コーディネートするよりも、自由で、未知で、可能性がある

同じような活動で、他にも先行事例があります。例えば「奥大和クリエイティブスクール」。これは「地域の魅力を発見し、ローカルで活躍できるクリエイターを創出する」という目的のもと、2019年から始められています。2022年は坂本大三郎さんという芸術家、作家であるとともに山伏でもある、そんな方を中心に、「水を掘りあてる」という活動が行われました。「上総堀り」という、人力で井戸を掘り当てることができる技術を使って、木材だけ、参加者の人力だけで360メートル以上の深さのある地下水を汲み上げる。これはまさに山岳新校の芸術学校でやってみたいことにすごく近いと感じています。そういう意味で、すでに奥大和が「学校」が集約する場所になっているんだなと感じているところです。

何か一つのミッションを共有して、ある種の労働をみんなでやる。やったことがないことだからワクワクするだろうし、やればだれでもそこそこできるんですよね。そのやり方を美術史に紐づけていくと、大阪を拠点に活動している「THE PLAY」という団体を想起させるなと思いました。ちょうどかれらの展覧会を、かつて国立国際美術館で企画した橋本梓さんのレクチャーを聞いたばかりなのですが、かれらもシンプルなミッションを自らに課して実行したグループです。特徴的なのは「なぜそれをやるのか」ということは問題にしないということです。芸術活動というのはもともとそうですけれど、社会から外れているので、独走するわけですよね。例えばかれらは、「風に向かって歩いていく」というミッションを立てます。そしてそれをひたすら遂行する。風が吹いてくる方に向かって五日間キャンプをしながら歩き続けるわけです。《雷》というミッションは、山頂に丸太材で20メートルの三角錐を作って、上に避雷針をつけて雷を待つ、というものです。そこで「なぜやっている

のか」という、その目的は問わないんですね。雷は一年やっても落ちなかったので、解体してもう一回組み立て直してというのを毎回やって、十年間雷を待つというですね（笑）。なんかもうこれ自体が、やりたいなぁと思いませんか。「THE PLAY」中心メンバーはいま87歳くらいなのですが、まだお元気なので、かれらと奥大和に入り込んで、何かミッションを遂行するというのも、できたらすごいのかなと構想しています。

橋本さんによると、「THE PLAY」が出てきた背景として、もとは「読売アンデパンダン展」というのが1949年から1963年までありました。ここは無審査、無償の自由出品形式の場で、さまざまな表現が実験的に展開された場所だったんです。それが打ち切られて以降、前衛芸術の実験場を失った作家たちが自主的に開催する場が地方に乱立したと言われています。同時多発的に地方で自由に活動する反芸術、いままでの芸術とは違う芸術をやっていく芸術集団というのがどんどん生まれてくる。その流れのなかで「THE PLAY」もあったと考えられています。そう思うと、ここまで戻ってもいいのかもしれません。例えるなら「奥大和アンデパンダン」。本当にやりたい人がそこに集って自由な表現をやっていく。この方が外からやってきてコーディネートするという見え方よりも、自由で、未知で、可能性があるんじゃないかなとも考えています。

とはいえ、開催場所をどうするのかということや、山のなかで「THE PLAY」のようにミッションを掲げて遂行するということには男社会的な印象も出てきてしまいます。実態はそうではないのですが、過酷な印象をどうしても与えてしまいますので、そこは課題です。

このように複数の案が、課題がありつつも錯綜しているというのが現状です。これから悩みつつも、いろいろやっていきたいなと思っているところです。ですが、まずは芸術学校と、これまでの美術的な取り組みとのつながりについてお話しして、実践へのステップにしたいと思います。

13 奥大和における芸術実践と「最後」の練習

西尾美也

秋の千本桜

私のアトリエを仕切るカーテンは、吉野の山からやってきた。大小さまざまな矩形の布を縫い合わせた、カラフルなカーテンだ。一つ一つの布に目を凝らすと、淡紅色の絹織物やシックな花柄のシフォンがあるかと思えば、グラフィティのようなロゴが配されたニットに、奈良県のシンボルマークが刷られた晒しまである。これを見ていると、2021年の秋のことを思い出す。

> 古着を四角に切ってつなぎ合わせ、人が中に集える大きなパッチワークを作ります。服は、物理的にも精神的にも、人と人、人と社会、人と自然、それぞれの間にあり、それらをつなぐ存在です。通常、服と言えば一人用ですが、つなぎ合わせて大きくすることで、自分の境界が拡張され、より自然に近づく感覚を得ることができます。この「大きな服」は、風に揺られ、雨に濡れ、ひとつの生き物のように変化しながら、MIND TRAILの期間だけ存在します。
>
> たくさん歩く芸術祭で、この作品は休憩所の役割も果たします。来客を迎えるための憩いの空間を、ぜひ地域の方々と一緒に作りたいと思っています。着なくなった服と、一緒に切ったり縫ったりしてくださる方を募っています。自分の服が作品の一部になると、作品の見え方も変わりますし、屋外でミシンを踏む体験も新鮮なものです。ぜひご参加ください。
>
> ——「『人間の家』制作のための古着とプロジェクトメンバー募集」チラシより

奈良県の吉野町で古着を集めるからと言って、吉野らしい服なんて期待していなかった。ところが、テントを張ってミシンを踏んでいる姿を見た茶屋の女将さんが、「よかったら使ってもらえるかしら？」と言って、亡くなったお母さんの形見の服を持ってきてくれた。それはピンク色の、まるで桜のような服だった。「こんな色の服、普通着るのかな？」と思うほどだったのだが、他に集まる服にもピンク色が多かったように感じる。

過去に古着を集めた時にも、地域ごとの特性のようなものは確かに確認できた。ケニアでは原色の服や柄物の一枚布が多く、フランスでは上質で上品な色合いの服が、埼玉では和柄が多く見られた。こうあってほしいというこちらの偏見かもしれないのだが、わずかに地域の特性や、持ち寄ってくれた人の趣味など、ある程度の地域の「らしさ」は出るのかもしれない。

いっそのこと、吉野の千本桜をイメージした、ピンク色の作品になればいいなと思うようになっていた。

ロープの祭り

古着のパッチワークによるこのプロジェクトは、実施機会を得るのが数年に一度で、その期間、その場所でしか体験できないものだ。その日の天候や時間によっても見え方が変わる。2010年に埼玉県の北本市で実施した時には、周りの木々に括り付けたロープで吊り上げるというかなりアクロバティックな方法で、だからこそ美しい作品になった。これはお祭りと同じだと思ったのは、吊り上げ方を忘れていく自分に気づいた時だった。お祭りのように定期的に実施しなければ、作り方や設置の仕方も忘れてしまう。過去と同じ作品ということに躊躇せず（場所も古着も違うので実際は新しい作品だ）、森の中での展示を謳う芸術祭「MIND TRAIL」で再度展開することにした。ところが吉野の森は、高所作業車などの重機が入れた北本の雑木林とはわけが違った。

作品は高さ7メートル。ロープのたわみを考慮すると10メートルの高さから作品を吊り上げる必要がある。森の持ち主の方に相談すると、黒滝村森林組合の方を紹介してくれた。木登りのプロである。ロープや滑車のことにも詳しい。ただ、当たり前なのだが、木々にロープを張って作品を吊り上げるという経験はかれらにもなかった。設営当日、ここからは山道というところまで車で向かい、そこから私は作品を、森林組合の6名はジョイント式枝打ちはしごやロープ、滑車類など、木登りと作品設置に必要な道具を一式担いで山に入っていった。高さ7メートル、幅と奥行きそれぞれ4メートルに縫い合わされた布を担ぎ上げるのも苦労したが、かれらの荷物はさらに重そうだった。女性の姿もあったが、担ぎ方や森での歩き方の技術がそもそも違うようで、たいへん頼もしく見えた。

作品の形を綺麗に出すためには、数本のメインのロープに加え、40本程度の細いロープで張り具合を調整する必要がある。私の設計図を元に現場でより良いアイデアが出される。すぐに絡まりそうなロープと格闘しながらも、私のイメージとかれらの知恵や技術がかけ合わさって作品が実現することに、私自身はもちろん、かれらもやりがいを感じてくれているようだった。かれらの確かな技術に支えられ、あるいは吉野の山の見えない力に守られて、屋外の布作品は、その後2ヶ月の芸術祭の会期中、全くダメージを受けることがなかった。

私のアトリエを仕切るカーテンは、こうして吉野の山で雨風に晒されながら展示された作品をリメイクした、ヴィンテージのカーテンだ。吉野の人が、布が、風や光が、林業の知恵や技術が、このアトリエにはあるように感じる。

西尾美也《人間の家》
展示風景：「MIND TRAIL 2021」2021年／吉野町／奈良
撮影：筆者

迷彩の滝

翌年の「MIND TRAIL 2022」でも、ありがたいことに出品依頼を受けた。今度の舞台は吉野町のさらに南に位置する天川村だ。作品プランはないのに、黒滝村森林組合の方と再び協働することを先に考えていた。自然の中に突如現れるカラフルな「人間の家」もよかったが、もっと自然に溶け込む表現も模索してみたい。奈良県の奥大和を舞台に、コロナ禍だからこそ自分の足で歩き、アートを通して身体と自然を感じることをコンセプトとする「MIND TRAIL」という芸術祭に続けて参加する立場として、自分自身も変化していることに気づく。奥大和とは、奈良県の山岳地帯が連なる中南部と高原が広がる東部にかけての19市町村のことを指す。修験道の聖地として長い歴史をもち、近畿最高峰の山々や冷涼な高原、川沿いに湧く温泉など美しい自然が広がっている。

私が作品の素材として服を使うことは作家としての生命線のようなものだから、そこは変わらない。服と自然。この二つのキーワードで出てきたのが「迷彩柄」だ。迷彩柄の服は、子どもからお年寄りまで誰もが身につけるファッションになった。一方で迷彩柄は、今ウクライナで起こっている戦争を想起させる。迷彩柄の服が誰しもに身近なものになったことは、戦争で翻弄されるのは普通の市民ばかりだということをもまた想起させる。自然に、あるいは世界に目を凝らすために、こうした人為的で身近な迷彩柄（偽装）を、本物の森の中に展示する。こんな作品イメージが思い浮かんだ。とは言え、天川村の場所性とこのアイデアはどのようにつながるだろうか。

その手がかりを探るべくリサーチで天川村を訪れると、天川村立資料館に答えがあった。米軍爆撃機B29のエンジン部品が展示されていたのだ。なぜ、こんなところにB29？　奇しくも、第2次世界大戦末期、B29が大峰山中に墜落し、残存していたエンジン部品を2006年に回収したのだという。戦争とは無縁だと思っていた天川村が、しっかり戦争の痕跡を残していた。機の故障か不具合で、偶然にして空から落ちてきたものであるのだが。落ちてくるもの（偶然）に身をまかせること。それは天川村での滝行を私に思い起こさせた。

エンジンの回収と引き換えに、迷彩柄を自然に返そう。その迷彩に身を打たれる（包まれる）こと。そんな作品の構想が固まった。迷彩の滝が、天川の森に落ちてくる。

全国から寄せられた迷彩柄の古着でできた高さ9メートルの筒状の作品が、黒滝村森林組合の方々の手によって地上約12メートルから吊り下げられた。引いて見るその姿は、滝というよりむしろ、この地に根を張り成長してきた杉の木そのものだった。

迷彩柄の服のエピソード

#4
息子が小さい時に親しい方が作ってくれたベストです。さっと袖を通す姿、颯爽？と三輪車に乗っているところ、犬とじゃれている様子などなど、いくつものシーンが思い出されます。手に取って眺めながら、成人した息子がこの先戦争に巻き込まれることが無いよう改めて願いました。

#6
1969年生産のフランス軍M64フィールドジャケット。昨年12月に、メルカリにて購入。同サイトにて、カーキ色で丈夫なジャケットを探していたところ、デッドストックのM64を発見した。パーカーが付いており、尚且つ胸元に名札がついていることから希少性の高いものであると感じ、衝動買いした。3～4回着用したが、同時期に購入したトレンチコートを着用する機会が増えたため、タンスの中にしまっていた。

#8
猟師だから。獲物にバレないように迷彩はたくさん持っている。においで嫌がられるから実際はバレるけど。兄が横田基地で通訳をしていたから、払い下げの分をよく送ってもらっていた。自分だとSサイズが本当はちょうどいいけど、みんな体格がいいからなかなかない。リップストップの生地が丈夫で着心地がよく、虫除けにもなるからいい。

#17
迷彩柄は私の父が若い頃によく着ていたらしく、幼い頃に父と天王寺動物園に行った時の思い出があります。その日、大道芸の方が動物園に来ていたため父と2人でパフォーマンスを観ていました。すると、父の服装が派手な迷彩柄のダウンジャケットだったため「そこの迷彩柄のひと！」と呼ばれ、前に出ることになりました。人見知りで恥ずかしがりやだった私は父の服装のせいで注目を浴びたことがすごく嫌で、そのせいで1日中機嫌が悪かったことを覚えています。

#18
母が迷彩柄が好きで、たまたま買い物に行った時、セール品の中にこのズボンがあり、購入したそうです。気に入っていたので、家事の途中で漂白剤が飛んでも長らく履いていたのですが、今回この話をしたところ提供する許可をくれました。

#19
甥っ子がもう着れなくなったズボンです。甥は恐竜にハマっており、海外アニメの恐竜アニメの中で子供たちが着ている迷彩服が欲しいと言って買ったものです。

ワームホール

迷彩の滝に打たれつつ（筒状の作品の中に入って）上を見上げると、迷彩の崖の先に、天に開けた小さな穴が見える。そんなワームホールの中で、私は20年前のことを思い出していた。

今でこそ国内外各地で作品の発表機会には恵まれている。一方で大阪や京都に近い奈良市で生まれ育った身として、奥大和は近いようで、訪れる機会の少ないはるか遠い場所だった。だからこそ、「MIND TRAIL」に参加して奥大和で作品制作ができる喜びを噛み締めていたのだが、思い起こせば、奥大和は、当時このエリアをそうとは呼んでいなかったが、私のデビューの場ではなかったか。

> スクランブル・クローズとは私たちに身近な衣服を他人と交換するというコミュニケーションを通して、あらゆるものをスクランブルし、それらを再構築させることで新たなものを作り出すプロジェクトです。身体に密接な衣服を交換することで、まるで身体の一部を交換し、誰にでもなれるというような自由すぎる状態を目指します。また、その自由さとコミュニケーションの結晶が衣服の新たなかたちになることを考えます。
>
> ──「SCRAMBLE CLOTHES企画書」より

2001年、東京藝大を目指して一浪していた私は、入試に必要な活動ポートフォリオを作るために、自らの表現を模索していた。服とコミュニケーション、アイデンティティの問題について関心を抱いていた私は、スナップボタンでパーツが取り外し可能な服を制作し、人を集めてワークショップのようなことをしたいと考えていた。対人コミュニケーションに苦手意識があったからこそそのアイデアなのだが、その切実さがこのプロジェクトを成功に導いた。

参加者を集めるために、私はまず友達の多そうな高校時代の友人Hに相談した。当時大学1年生だったHは、自主的に活動する学生有志のグループに所属していた。「自分たちであれば運営や記録、広報面でも手伝うことできる」。そんな期待以上の心強い言葉をくれた。そしてHは続けて、「会場についてもぴったりなところがある」と言う。あるグループメンバーの父親が、ワークショップ研究者で場所を持っているというのだ。

先に引用した企画書は、Hに勧められて、学生グループとその父親に向けて書いたものだ。私の活動、学び、探究、アートはすべてこの時から始まった。

西尾美也《迷彩の滝行》
展示風景：「MIND TRAIL 2022」2022年／天川村／奈良
撮影：筆者

原点のネオミュージアム

1990年、理想の学習環境として、プライベート・ミュージアム「ネオミュージアム」を奈良県吉野町に建設したのが、ワークショップ研究者こと上田信行先生だ。他者とともに何らかの活動に没頭し、学ぶこと、その事が展示物＝展示事になるというコンセプトの元、「学びの経験」、「学びの出来事」を展示するために、親の土地にミュージアム自体をつくってしまう。それが、森美術館が教育普及部門の名称をエデュケーションからラーニングへと変え、あいちトリエンナーレがラーニング部門のキュレーターを配属する、はるか30年も前のことなのであるから、いかに先駆的であるかがわかる。

ネオミュージアムは、その建築空間に学びの理論が埋め込まれている。三層構造の建物は、1階が経験、アクティビティのフロア、中2階はそれを俯瞰して振り返るリフレクションのフロア（活動の構造化、モデル化）、そして3階はヴィジョンやセオリーのフロア（意味づけ、セオリーへの昇華）と位置付けられている。

こうした空間や仲間、上田先生ご本人にも助けられながら、私のデビュー作であるワークショップは大成功を収めた（その証拠に、私は今も自分のポートフォリオにこのワークショップを掲載している）。すべては、何かをやりたいという表現のイメージを持ち、実際に作品を制作して友人に相談したことから始まったことだ。つまり、主体的に世界に対して働きかけたことで、自らが予想していなかった出来事が次々と展開していく。そして、活動に没頭し、展示事になる自分自身を俯瞰しながら、ここで何が起こっているのかを考察する。あまりに恵まれたデビューではあったが、程度の差こそあれ、このワクワクはその後の活動でも途絶えることがない。この面白さから抜け出せなくなって、私は今も同じような活動を続けている。

学び合いこそがアートである。現在の私のこの主張は、偶然か必然か、奥大和で学ぶ、という自身の原初的な経験に基づいているのだ。

形見としての服

2021年に吉野町で発表した「人間の家」は、もともと「オーバーオール」という名称のプロジェクトで2009年に始めたものだ。そのコンセプトは、世界各地の巨大な喪失物を、市民から集めた古着を解体し、市民が協働してパッチワークで再建する、というものだった。制作過程で目指されていたのは、町の喪失物について思いを巡らせることで、町の成り立ちの再考と市民相互の対話が促され、町に新たな景観を生み出す体験を共有すること。さらには、そうした取り組みを通して、形見としての服が故人の存在感を強く示すことがあるのとは逆の順序で、モチーフの記憶に新たな装いを与えてゆくことを考えていた。

具体的に、フランスではドイツによる占領下に建造された潜水艦基地のUボートを、ケニアではイギリスの植民地時代に敷設された線路を走っていた蒸気機関車を、古着のパッチワークで再建した。今を生きる自分たちが、負の歴史に向き合う方法としてのアプローチだった。

町の歴史や外観の再建に重きを置いていた「オーバーオール」にくらべて、「人間の家」は、より抽象性の高いものとしてどこでも展開が可能で、かつ中に入ることが重視された。みんなで着る大きな服なのである。

西尾美也《人間の家：ギャラリーギャラリー》
展示風景：「縫い合わせる—西尾美也×岡本光博」2022年／ギャラリーギャラリー／京都
撮影：筆者

「人間の家」の最新作は、京都は四条河原町のほど近くに建つ、昭和2年築のビル5階にある老舗のテキスタイルギャラリー「ギャラリーギャラリー」で2022年の暮れに発表された。当ギャラリーに縁のある方から募った布を縫い合わせたパッチワークで、ギャラリーの内壁や凹凸のある天井部をぴったりと象り、41年の歴史に幕を閉じるギャラリーをアーカイブするという作品だ。ギャラリーの最後の展示に、空間との別れを惜しみながら、みなで集うという意味で「人間の家」であり、これからなくなるギャラリーの「形見としての服」を予め作っておくという意味で「オーバーオール」のコンセプトが呼び戻されたというわけだ。

実際に、ギャラリーの最後の展示ではあるのだが、布作品は移動させることができる。今後、さまざまな場所で、このパッチワークのギャラリーギャラリーを再建することが可能になるだろう。

服あるいは地層

「死ぬ前に全部の服にはさみを入れておきたい」。これは、粋な祖母が語った言葉だ。自分の服が人の手に渡ることなんて考えられないという。世代の違いで所有に対する価値観が異なるからと受け流すこともできるが、90年ほど生きてきた人の服に対する考えだとすれば、その発想自体が「最後の表現」になるとも捉えられる。

西尾美也《死ぬ前に全部の服にはさみを入れておきたい（習作）》
展示風景：「藝大食堂ショーケース#31」2022年／東京藝術大学取手キャンパス／茨城
撮影：筆者

祖母の言葉をそのままタイトルに冠した習作では、切られた服の断面を重ねて地層を作った。食堂のショーケースに展示された巨大ミルフィーユの食品サンプルのようなそれは、その人の歴史であり、祭壇である。ここでできた服の地層断面のイメージが、その後プリント柄となって服に生まれ変わっても面白そうだ。それを誰かが着るとしたら、祖母はどう思うだろうか。

ギャラリーギャラリーが閉鎖することも、祖母の言葉も、私にとって「最後」ということについて考えを巡らせるきっかけになった。自分の年齢もあるのかもしれない。「どういうふうに死ぬのかって考えることは、自分に与えられた、最大の自由なプロジェクトだと思っています」。そう語ったのは、アートプロジェクトを専門にする先輩アーティストの藤浩志さんだ。かつて、ある記録集で目にして、「こんなことを考えているのか、さすが壮大だなぁ」と思っていたのだが、折に触れてこの言葉を思い出すから不思議だ。改めてその本をめくってみると、2001年の発言であることがわかる。現在の私と同じ年齢の時に藤さんが発言しているのだ。人生の地層とはこういうことなのだろうか。

「最後」の意識

「最後」について具体的に考えるきっかけになったのは、『週刊朝日』で「最後の読書」というコラム執筆を依頼された時だった。「人生の最後に読みたい本」をめぐるエッセイとして、自分の人生を交えながら、また最後の一冊を読む場面を想像しながら、本の内容というより、人生の思い出や、理想的な死に方を本に託す。そんな依頼だったが、実に面白い「課題」だと思った。教養と想像力が問われる点で、大学で指導する学生にもぜひ取り組んでもらいたいと提案しかけたが、すぐに思いとどまった。20年前後の人生では、「最後」はあまりにリアリティがないだろうから。

「課題」に対する私の回答では、父親の生き方と恩師の書籍を挙げながら、概ね以下のように書いた。わずかでも更新されていく自分を発見することが、表現の、生きることの動機であるから、今の時点で人生最後の本を決めてしまうのは嫌だし、古典的名著や難しい本に、最後の時まで苦戦しているとしたら嫌だ。自分を更新するためには、他者と「ともに」創造的になる必要があるし、言語はその手助けをしてくれるものだと実感してきた。言語は一方で現実を構築するものでありながら、他方で現実から切り離して自由に操作することで、無数の可能性を描くことができるからだ。以下、結論。「コンプレックスを抱えて苦戦する読書なんかより、父のように奔放に、恩師のように現実から自由に、無数の可能性を最後の時も読んでいたい」。

西成のファッションブランド

「最後」に対するこんなポジティブな想像ができるのは、大阪市西成区で「おばちゃんたち」と一緒にプロジェクトを進めていることが一因としてある。「おばちゃんたち」というのは私の呼び方であって(よそ行きには「西成のおかあさんたち」と言うこともある)、実際は平均年齢82歳の高齢女性たちだ(最近新しいメンバーが加わって平均年齢も少し若くなった)。

> 美術家の西尾美也が、西成区山王にあるkioku手芸館「たんす」に集まる地域の女性たちとの共同制作により立ち上げた西成発のファッションブランドです。地域の女性たちによる予想を裏切るアレンジや発想の飛躍、西尾が考えるイメージとの齟齬など、予期せぬズレをコンセプトの一つに、作業着=日常を生きるための服を提案しています。
>
> ――NISHINARI YOSHIOウェブサイト「About」より

「たんす」は、1階がおばちゃんたちの作業場、2階がNISHINARI YOSHIOの店舗になっている。毎週水曜日と土曜日の開館日、13時から16時の間、おばちゃんたちが服作りに励んでいる。メンバーは現在6名である。

NISHINARI YOSHIOの服作りは、私がお題を出し、それにおばちゃんたちが応えるという形で進んでいく。一般参加者を対象にしたワークショップであれば、お題に対してできてくる成果物は、たいてい私の想定内のものであることが多い。ところが2016年にはじめて「たんす」のおばちゃんたちを相手にワークショップを実施すると、その反応や成果物の多様さに驚きを隠せなかった。なにせ、お題自体を理解していなかったり、やりたくないと言ったりしてくるのだから。ただ、驚くのは、それでも手芸が好きで得意だから、この場所に集まることも、手を動かすことも辞めるという選択肢がないことだ。だから、何かしらの成果物が必ずできてくる。それが、お題から「ズレ」ていたとしても、少しだけお題の要素が残っている。そんな物作りのあり方に、あるいは学び合いのあり方に私の方が魅了されて、今も活発に活動が続いている。

最後の3着

西成区は、近年では都市型のリゾートが開発されるなど周囲の環境が大きく変わりつつあるが、一般的には日雇い労働者の町として知られてきた。人生でどうしようもなくなったら最後にたどり着くのが西成だ、といった言われ方をすることさえある。また、ファッションに関して言えば、在庫処分サービス業の巨大な倉庫があり、「アパレルの墓場」という側面もある。なんとも「最後」にぴったりな町だ。

NISHINARI YOSHIOでは、そうした中で、西成に暮らす「普通」の女性たちと協働し、生活に根付いた西成らしさを、服を通して表現したいと考えてきた。例えば、西成に暮らす特定の身近な人を想定し、その人のためのジャケットやパンツをデザインするというお題から作られたものは、ブランドを代表する服になっている。

展示風景：NISHINARI YOSHIO「最後のファッション」
2022年-2023年／TURN ANOTHER ROUND／宮城
撮影：筆者

2016年からおばちゃんたちとプロジェクトをはじめ、お互いに年齢を重ねてきた。ブランドとしては「後継者問題」も切実だが、おばちゃんたちの人生を反映した、これ以上ない服を、今のうちに一緒に考えてみたい。そう思うのも自然な流れだった。

そんな時に、メンバーの一人である中田久江さんから、こんな話を聞いた。「中学を卒業した後、田舎から西成に出てくる時に、すぐに帰ると思ってとりあえず下着3着だけを持ってきた。でも結局そのまま働き続けて、結婚し、ずっと西成にいる。その下着は捨てられなくて、今も大切に保管している」。

3着というのが妙にリアルに感じた。その下着は、中田さんの人生を象徴する3着だなと思ったが、その実物を見たいと思う以上に、これを新たなお題として、今のおばちゃんたちが作りだす「人生の3着」「最後の3着」をこそ見てみたいと思った。

NISHINARI YOSHIOのこうした個人に寄り添った服の作り方は、環境問題や労働問題など課題だらけのアパレル業界を終わらせよう（最後にしよう）、というメッセージにもなるだろう。

個人の創造性

おばちゃんたちとの活動も7年目ともなると、お題についての反応も変化してきた。はじめはお題に対して抵抗を示していたのに、コロナ禍もあって、しばらくお題がない月日が続くと、待ち遠しそうにしているし、簡単なお題だと、「ああ、わかった、わかった」とさっと終えてしまう。まるで「もっと困難なお題はないのか」と求めているようにさえ思えることが少なくない。そんなタイミングでの今回の「最後の3着」というお題は、おばちゃんたちにとって手応えのあるものだったようだ。

各自が悩みながら考えている様子は、クリエイティブ集団そのものだ。単に着たい服ではなく、そこに理由がなければいけない。私との対話を通して、作る服について議論を進めていった。

宮田君代さんは、「私の人生はエプロンとともにあった」と、瞬間的にアイテムが決まっていく。「これまで着てこなかった派手な花柄で」、「おトイレに行きやすいように、後ろは省略して」と、エプロンの具体的なデザインもすぐに決まっていく。宮田さんが考えたのは、これまでの自分を更新しつつ、今の自分を生きるための服なのだ。

ピアノが好きで普段から弾いているという須藤よし子さんは、やったことのない「ピアノ発表会」を夢想し、その時に着るためのドレスの制作に着手。ドレスは作ったことがないが、編み物が大の得意なため、フリルをすべて手編みで制作した。家に持ち帰って一日8時間、約2ヶ月編み続けて完成させた。ピアノの前に座った須藤さんが、編み物でひたすら手を、指を動かしている。そんな姿を妄想しながら、その光景からは聞いたこともない美しい音楽が聞こえてくるようだった。

お題のきっかけをくれた中田さんは、西成で働いてはじめて得たお給料を2ヶ月分貯めて買ったウールの反物を題材にした。その時は自分で着物に仕立てた。その後の人生で、ミシンが得意な中田さんは、息子さんやお孫さんが小さな時はなんでも縫ってあげた、という。余った布があればカバンや小物を縫って近隣に配ったりもした。中田さんは自分のため以上に、人のために縫ってきたのだ。はじめて買った反物のストライプの模様をハギレの継ぎ接ぎで再現しつつ、子ども服を作る。縫って、縫って、これからの子どもに託す。そんな作品になった。

発表を控えた展覧会の予定があったため、おばちゃんたちは締め切りに迫られるように、「最後の3着」のうちの1着の制作に集中して取り組んだ。できた作品はいずれも力強く美しい。だがそれ以上に驚くのは、「最後」という一見重たいテーマに対して、どこまでも生き生きと制作するおばちゃんたちの姿だった。「これ以上のものは作れない。同じものはもう二度と作れない」と語るが、その様子を見ていると、この人たちはまだまだこれからも作るのだろうなと思わずにはいられないのだ。

私自身が「最後」について考えを巡らせ、まるで自身の「最後」の練習をするようにして考え、実践してきた作品やプロジェクトについていくつか紹介してきた。人生の先輩であるおばちゃんたちから学ばせてもらっているのは、「最後」とは決して衰退ではないこと、むしろ個人の創造性は「最後」に近づくほどに発揮される、ということだ。

おわりに

雑誌的に！　これが本書の制作コンセプトである。私たちは例によって、夜、オンライン・ミーティングをしていた。「加速する社会からの撤退」を唱える我々は、実のところ加速する忙しさに流され埋もれ、ミーティングの時間は必ず夜となる。当夜のテーマは、本の出版であった。一年間の活動をまとめ、『山岳新校』の本を出版する作戦会議である。で、誰だったか、青木さんだったか、雑誌的に！という提案をして、皆ほいほいとそれに賛同し、出来上がったのが本書である。テーマも文体もバラバラなエッセイ、対談、シンポジウムの記録、合宿セミナーの記録、参加者のコラム、まあいろんなものが集まっている。ただ、雑誌的に！と言うからには、内容が多彩なだけではダメだろう。その雑誌特有の雰囲気というか美意識というかポリシーというか、なんらかの「らしさ」によって貫かれる必要があるのではないか。じゃあ、本書の場合、それは何か？

もちろん読者の皆さんに、それを感じ取っていただくのが一番なんだけど、まだ筆者たちしか読者がいません。ということで僭越ながら、読者の一人として私から一言。『山岳新校』の「らしさ」というのは、一見したところ内容やテーマに認められる。資本主義や功利主義への批判がベースにあって、それと対比的に「ただそこに在るだけの存在」の美しさや愛しさが見出される。生産性や合理性を超えた価値観への転換、それに基づく学び方や働き方への志向、そんなんが『山岳新校』のポリシーに見えてくる、ことはないですか？　たぶん間違いではない。ただ、私としては「内容」よりも「構え」の方を言っておきたい。結構スキのある構え。「一分のスキもなく、一刀両断に斬る」こととは遠い感じ。こんなんが『山岳新校』ぽくはないだろうか？　たとえば、「近代」や「主体性」に対して、あるいは「病気」や「不安」に対して、いずれどうしても両義的となる。

上に記した資本主義・功利主義批判は、典型的な「反近代」の主張である。だが、私たちは近代システムとは別の「善き社会」を提示するというより（それもやりたいけど難しいし）、近代システムに「埋没すること」を批判する。これまでの日常だけではない、別もあるよ、こっちもやってみたら、とまずは言いたいのである。また、「主体的に生きる」のもよいことではあるが、しかしそれにこだわると頑張りすぎて病むかもしれない。だから、「近代」や「主体性」の善悪を論じるより、「凝り固まったり」「流されたり」「埋もれたり」していないかと問いかけて、していたらそれを解きたいのである。

「病気」は嫌です。確かにそうです。「不安」もしんどいです。賛成です。そのとおりなんだけど、「健康」と「安心」だけが価値あるものとされる社会は、ひどく「不健康」だったりはしないか？　ニーチェが言う「病者の光学」、つまり病気をして、そこからの光で、はじめて見えてくる風景がある。これは、それまでの自分がいかに一元的であったかを知る学びの場でもあろう。次元の移動がもたらされるのである。「不安」もまた、目覚めでありうる。安心立命のなかそれを当然の権利と思いなすとき、人はともすれば自分より弱い立場の人たちに、暴力をふるっていそうだから。

さてさてこんなんだから、『山岳新校』はどっちつかずの感じで、近代社会を「一分のスキもなく、一刀両断に斬る」実践からは遠くなる。しかしまあ、これは仕方のないことかもしれない。「より生産性ある存在」の肯定は、理に適ってます。スマートです。対して、「ただそこに在るだけの存在」の肯定は、間尺が合いません。マがヌケています。スキだらけ。だから、私は思う。世の中でそれなりに広がっている資本主義批判や功利主義批判と、『山岳新校』との違いは、「構えのスキ」にあるのではないか。私たちはマヌケです。

今の世、社会の潮流は「さらなる加速」に向かっている。AI・AR・バイオ・ナノ・量子あらゆるテクノロジーのコンバージェンス（融合）によって、今後「加速の加速」が生み出される、とかなんとか。でもって、「ロスからシドニーまで30分」とか「老化の最終的解決」とか「ブレイン・コンピューター・インターフェース」とか「宇宙への移住・ヴァーチャルへの移住」とかなんとか、結構にぎやかです。近代社会はこれまで、「より速く、より多く、より遠くへ」をモットーに上昇運動を続けてきた。**ウエ↑**を目指してきたのである。その過程で、地球環境や分断社会の問題が生じ、飢餓や戦争が果てしなく続いても、ホモ・サピエンスが反省することはない（表層的な反省は巷にあふれているが）。危機的な状況は、新たなイノベーションを生むチャンスと捉え返されるのである。たとえば地球温暖化問題には、GXによる解決が図られ、いつのまにかグリーン・バブルを帰結する。巨額の投資が新しい技術にあてられ、生み出された巨万の富は、利口な人たちで山分となる。ただただ、こうしたことの繰り返し。反省による価値観の転換などは起こらない。根本的な態度変更が生じることはないのである。

政治・経済・テクノロジー・学校教育、いずれのシーンでも人々は「利」によって動かされている。「利権」「利潤」「利便」「利口」。では、人々を駆り立てる「利」とは何か？　3つの意味が、辞書には出てくる。①するどい、かしこい　②役に立つ、都合がいい　③もうけ、得。なるほど、なるほど、そうでしょう。ということで社会は、今後も「利」によって動かされるのか？　利口な人たちが、役に立つこと（＝都合がいいこと）を掲げ、大儲けするのか？　おそらく、そうです。オリンピックの次は万博で、その次にはリニアが待っている。「利権」「利潤」「利便」「利口」のドライブにより、今後もどんどん上昇運動が続くのである。いったい、いつまで？　カタストロフィーを迎えるまで。

ああもちろん、未来のことは分からない。破局など起きないかもしれない。地球環境は持ち直し、飢餓や戦争は過去のものとなり、日本経済も財政も地方も蘇るかもしれない。おとぎ話？のように聞こえるが、もしそうなれば、皆で言祝ぐこととしましょう。ただ、未来がどう展開しようと、ひとつ言いたいのは「一元化はよろしくない」ということである。「利」に一元化された社会は、倫理上だけではなく「利」の観点からも、悪しきものとなる。たとえば、東京一極集中と首都直下型地震。リスクマネジメントの観点から、あきれるような状況が放置され続けている。今必要なのは、「利」を相対化する契機ではなかろうか。

ということで、出番です。人びとが「利」に駆られ、皆が**ウエ**↑を目指しているならば、そんな社会で求められるものとはなんなのか？　むろん、マヌケである。「ただそこに在るだけの存在」の肯定である。これはもう、どうしようもなく「利」からハズレることとなろう。かしこくもなく、役にも立たず、得にもならない。思うにそうした肯定は、**ヨコ**→　**への落下**↓として現れるのではないか。隣で、傷んだり微笑んだりしている存在の方へ、落ちていくのである。そうした存在は、人間に限られることもない。🐵でもよいし、月明かりに照らされた川原でもよい。そこには、なんの利もなく意味もない。ただ、愛おしく、美しいのである。

人類は長い間**ウエ**↑ばかりに力を注いできた。ロケットやミサイルをバンバン発射させ、生命科学と情報科学の結合で、ホモ・デウス（神人）が誕生するとまで言われている。すごいですね。よく頑張りました💮。ということで、しばらく上昇の方はお休みにしません？　当分のあいだ、集中的に**ヨコ**→↓に落ちませんか？　飢餓と戦争をなくす。解釈の余地がないくらい明確に苦しんでいる人びとをなくす。これは、火星移住に匹敵するくらい大きな野望ではなかろうか？　人類の歴史が決定的に塗り替えられる。プーチンよ、習近平よ、野望を抱くならこっちの方向でよろしく！

以上、マヌケな提案でした。ただ、私たちは提案し続けようとは思っている。奈良県立大学撤退学研究ユニットは、「知性の証しとしての撤退」を訴える。慣性や惰性に流され、「分かっちゃいるけど、止められない止まらない」状態からの脱却こそ、知性の証左だと主張したいのである。埋没しないこと、新しい次元を開いていく浮力、これが知性ではなかろうか。さあ皆さん、ということでいかがでしょう？　一度試してみません？　上昇運動からの撤退、ヨコへの撤退を、山岳新校でご一緒に。一同、お待ちしております。

青木真兵（あおき・しんぺい）

1983年生まれ、埼玉県浦和市に育つ。「人文系私設図書館ルチャ・リブロ」キュレーター。古代地中海史（フェニキア・カルタゴ）研究者。博士（文学）。社会福祉士。2014年より実験的ネットラジオ「オムライスラヂオ」の配信をライフワークにしている。2016年より奈良県東吉野村在住。現在は障害者の就労支援を行いながら、大学等で講師を務めている。著書に『手づくりのアジール』（晶文社）、妻・青木海青子との共著『彼岸の図書館――ぼくたちの「移住」のかたち』（夕書房）、『山學ノオト』シリーズ（エイチアンドエスカンパニー）などがある。

伊藤洋志（いとう・ひろし）

個人のための仕事づくりレーベル「ナリワイ」主宰。1979年生まれ、香川県出身。京都大学農学部森林科学専攻修士課程修了。個人が身一つで始められ頭と体が鍛えられる仕事をナリワイと定義し、研究と実践を行う。主な著作に『ナリワイをつくる』『イドコロをつくる』（いずれも東京書籍）。「遊撃農家」などの個人のナリワイとチーム活動による野良着メーカー「SAGYO」のディレクター、「熊野マウンテンビル」運営責任者などの活動に加え、タイアカ族の山岳村落の学術研究プロジェクトにも参画する。

梅田直美（うめだ・なおみ）

奈良県立大学地域創造学部教授。専門分野は社会学。「孤立」に関する言説史研究と、何らかの「生きづらさ」を経験した人が自身の経験・問題意識を軸として起業する事例について、「親密圏と公共圏が交差する場」という視点から実践研究を行っている。著書に、「戦後日本の団地論にみる『個人主義』と『家族中心主義』――『孤立』をめぐる言説史の視点から」（中河伸俊・赤川学編『方法としての構築主義』所収、勁草書房）、林尚之との共著『OMUPブックレットNo.59 自由と人権――社会問題の歴史からみる』（大阪公立大学共同出版会）、編著『OMUPブックレットNo.62 子育てと共同性――社会的事業の事例から考える』（大阪公立大学共同出版会）などがある。

坂本大祐（さかもと・だいすけ）

奈良県東吉野村に2006年移住。2015年、国、県、村との事業、シェアとコワーキングの施設「オフィスキャンプ東吉野」を企画・デザインを行い、運営も受託。開業後、同施設で出会った仲間と山村のデザインファーム「合同会社オフィスキャンプ」を設立。2018年、ローカルエリアのコワーキング運営者と共に「一般社団法人ローカルコワークアソシエーション」を設立、全国のコワーキング施設の開業をサポートしている。著書に、新山直広との共著『おもしろい地域には、おもしろいデザイナーがいる』（学芸出版社）がある。奈良県生駒市で手がけた「まほうのだがしやチロル堂」がグッドデザイン賞2022の大賞を受賞。

作野広和（さくの・ひろかず）

島根大学教育学部社会科教育専攻教授。1968年島根県松江市生まれ。広島大学大学院文学研究科博士課程単位取得退学。同大助手，島根大学准教授を経て，2014年より現職。専門は農業・農村地理学，過疎・中山間地域論，GIS。総務省過疎問題懇談会委員，地域の暮らしを支える地域運営組織に関する調査研究会委員，国土審議会特別委員，農林水産省鳥獣害対策アドバイザー，島根県中山間地域研究センター客員研究員等。島根県，兵庫県を中心に，市町村レベル，小学校区・地区レベル，集落レベルの地域づくりに参画。島根県江津市，出雲市佐田町，邑南町，奥出雲町，飯南町，兵庫県佐用町に研究室の分室「ラボ」を設置し，住民との協働による地域づくりを実践中。

仲子秀彦（なかこ・ひでひこ）

1993年奈良県生まれ奈良県育ち奈良市在住の29歳。大学受験の際、まだ離れてもいないのにホームシックになり、第一志望だった沖縄行きをやめて奈良県立大学に通う。現在、平日は奈良県内の村役場の職員として働き、休日には畑で野菜を作ったりバンドをしたりしながら、妻と２人の子どもとドタバタ楽しく暮らしている。

中森一輝（なかもり・かずき）

三重県名張市出身。大阪で10年間サラリーマンとして働いた後、2020年に地元名張市にUターン移住。移住後はフリーランスカメラマンとしての活動と並行して、合同会社オフィスキャンプ（奈良県東吉野村）が手掛けている地方行政のまちづくり関連事業や企業ブランディングなど、多岐にわたるプロジェクトに携わり、進行管理・広報PR・事務全般を担っている。都市部で働くサラリーマンとしての経験をベースに、地方のフリーランスクリエイターの世界で「越境人材」としての働き方・生き方を模索している。

西尾美也（にしお・よしなり）

1982年奈良県生まれ。美術家。東京藝術大学大学院美術研究科博士後期課程修了。博士（美術）。文化庁新進芸術家海外研修員（ケニア共和国ナイロビ）、奈良県立大学地域創造学部准教授などを経て、現在、東京藝術大学美術学部先端芸術表現科准教授。装いの行為とコミュニケーションの関係性に着目したプロジェクトを国内外で展開。ファッションブランド「NISHINARI YOSHIO」を手がける。近年は「学び合いとしてのアート」をテーマに、様々なアートプロジェクトやキュレトリアルワークを通して、アートが社会に果たす役割について実践的に探究している。共著に『拡張するイメージ』（2023年、亜紀書房）、『ケアとアートの教室』（2022年、左右社）、『アーバンカルチャーズ』（2019年、晃洋書房）などがある。

林尚之（はやし・なおゆき）

大阪公立大学現代システム科学研究科特任准教授、奈良県立大学客員教授。専門は日本近現代史。主に、近現代日本の主権・人権に関する研究、知性・教育と共同性に関する研究を行っている。主著としては、『主権不在の帝国――憲法と法外なるものをめぐる歴史学』（有志舎、2012年）、『近代日本立憲主義と制憲思想』（晃洋書房、2018年）、『立憲主義の「危機」とは何か』（すずさわ書店、2015年、共編著）、『OMUPブックレットNo.59　自由と人権――社会問題の歴史からみる』（大阪公立大学共同出版会、2017年、共著）、『近代のための君主制――立憲主義・国体・「社会」』（大阪公立大学共同出版会、2019年、共編著）などがある。

堀田新五郎（ほった・しんごろう）

奈良県立大学教授。専門は政治思想史。『講義 政治思想と文学』（共編著、ナカニシヤ出版）、『撤退論』（分担執筆、晶文社）。世のしがらみと組織のプレッシャーとやむにやまれぬ思いから、撤退学を始める。日本の失われた10年は、20年となり30年となった。何の我慢大会？　そろそろ東京一極集中の力学、惰性の力学から撤退しませんか？　コードを変えましょう。東京在住のあなた、このままではマズイよね、そう思いながら満員電車で疲弊する日々を続けてたりしていませんか？　であれば、1度出ちゃいましょう。たとえば、吉野の山里とかに。でもって、つらつら考えましょう。人類と自分の来し方行く末について。撤退は敗北ではなく、知性の証しですから。きっと、楽しい。

松岡慧祐（まつおか・けいすけ）

奈良県立大学准教授。専門は社会学。主著に『グーグルマップの社会学――ググられる地図の正体』（単著、光文社新書）など。1982年岡山県生まれ、香川県育ち。17歳の時にフェリーに乗って遊びに来た大阪のアメリカ村に魅せられ、大学進学から22年間、大阪に住み着き、古着屋をめぐり続ける。今のところ年に1回、妻と沖縄の離島を旅することが、都市からの唯一の撤退。

八神実優（やがみ・みゆう）

大学卒業後、（株）リクルートキャリアに入社し、新卒採用・人事を担当。2019年より経済産業省に出向、科学技術イノベーション促進のための産学連携業務を推進。産学官の若手コミュニティの立ち上げや、霞が関初の試みで、若手だけの審議会を企画・運営。2021年（株）リクルートに出向帰任、管理会計を担当。2022年（株）リクルートを退職し、リジェネラティブな事業を構想中。コロナ前は毎月のように様々な地域を訪れており、現在は地域と都市の二拠点生活を模索している。

山岳新校、ひらきました

山中でこれからを生きる「知」を養う

2023年5月20日　初版発行

奈良県立大学地域創造研究センター撤退学研究ユニット・編

デザイン　中村圭佑
発行者　松井祐輔
発行所　エイチアンドエスカンパニー(H.A.B)
210-0814 神奈川県川崎市川崎区台町13-1-202
044-201-7523(TEL)／03-4243-2748(FAX)
hello@habookstore.com
www.habookstore.com
印刷・製本　中央精版印刷株式会社

表紙：ディープマット［オリーブ］／扉：エコラシャ［きぬ］／本文：b7バルキー
本体　1,800円+税

本研究は、奈良県の発展に資する研究プロジェクト『農山村を衰退させる構造力学の解明とその転換可能性に関する実践研究――「学ぶことを学ぶ場」の創設を通じて』における研究成果の一部である。

乱丁・落丁本はお取り替えいたします。
ISBN978-4-910882-03-1　C0036

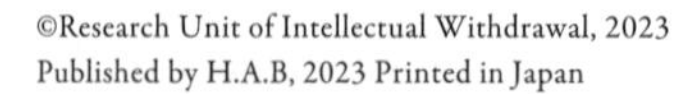